西日本出版社

〒564-0044 大阪府吹田市南金田1-11-11-202
TEL:06-6338-3078 MAIL:jimotonohon@nifty.com
X(twitter)/Bluesky/instagram：@jimotonohon

◆HP
◆SHOP
◆SNS
◆YouTube

オススメ本

せんせいあのね
1年1組かしま教室①ひみつやで

◆鹿島和夫／1100円
小学1年生が日々の事を書いて毎日先生に提出する「あのね帳」。ものを見る目が養われていった子どもたちの作品集。

978-4-908443-87-9

こども
いわはまえりこ

こどもはいつか
おとなになるでしょう
おとなはむかし
こどもだったんでしょう
みんな
そのときのきもちを
たいせつに
してもらいたいな

の書店、ネット書店でご購入いただけます。

西日本
出
目

NEW!

まちの映画館
踊るマサラシネマ
◆戸村文彦／1600円
兵庫県尼崎市にある昔ながらの小さな映画館「塚口サンサン劇場」が、閉館寸前の状況から日本中の映画ファンに愛されるようになるまでの軌跡。

978-4-908443-41-1

大阪 京都 神戸から行く
漁港食堂
◆うぬまいちろう／1600円
関西からおおよそ半日で行ける漁港と、絶品「漁師めし」が食べられる漁港食堂を写真とイラストで紹介。日本中を旅する放浪釣り師による漁港食堂食レポです。

978-4-908443-89-3

當麻寺 中之坊
称讃浄土経を読み解く
◆松村實昭／2700円
奈良時代に中将姫が當麻寺に残した経典、称讃浄土仏摂受経を丁寧に解説。
＊折りこみ付録：中将姫直筆お写経全15回の内、1回分の写し付き

978-4-908443-90-9

文芸

あふれでたのは
やさしさだった
奈良少年刑務所 絵本と詩の教室
◆寮美千子／1000円
壮絶な貧困や虐待。加害者である前に被害者だった少年達と向き合い、心を育んだ授業とは。数々の奇跡と成長の記録。

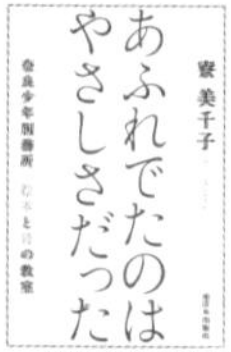

978-4-908443-28-2

民話

ききがき 大阪北摂
すいたの民話
◆阪本一房／1500円
大阪北摂の吹田市にある民話40話と、民話の歴史的背景を方言もまじえて綴りました。物語の舞台マップも掲載。

978-4-908443-81-7

食

粕汁の本はじめました
◆松鳥むう／1500円
関西を中心に、全国粕汁探訪記。粕汁が食べられるお店や酒蔵、お寺をイラストたっぷりのエッセイで71軒紹介。

978-4-908443-77-0

ネコ

まる ありがとう
◆養老孟司／1200円
養老先生と18年の時を過ごした愛猫・まるとの日常、生き方。養老先生の知見が詰まった一冊です。フルカラー写真114枚掲載。

978-4-908443-67-1

旅

僕の歩き遍路
四国八十八ヶ所巡り
◆中野周平／1500円
30歳の春、仕事を辞めてお遍路へ。野宿を基本とした、通し打ち46日間の記録。手描きMAPや思い出イラスト・漫画も。

978-4-908443-70-1

歳時記

台湾りずむ
暮らしを旅する二十四節気
◆栖来ひかり／1800円
季節のこよみで知る、台湾の文化や歴史、風習、そして今のこと。日々の暮らしに旅を楽しむたくさんのヒント。

978-4-908443-82-4

瀬戸の島旅
しまなみ海道
＋とびしま海道 ゆめしま海道
◆阿部 岐子＆
㈱ディレクターズ／900円
大人気しまなみエリアのガイドブック！車でも、自転車でも行ける島旅。

978-4-908443-54-1

仏教

仏教学者、キリスト教徒の問いに答える
日本の自然と宗教
◆立川武蔵／1700円
儀礼・お盆・彼岸。仏教学の視座から見た日本。キリスト教徒からの7つの問いから仏教を語ります。

978-4-908443-88-6

伝統芸能

能の本
◆村上ナッツ、つだゆみ、
辰巳満次郎／1500円
代表的な能の物語20曲を現代語訳で書き起こしました。短編小説を読む感覚で理解できます。
★2巻まで発売中

978-4-908443-10-7

4巻まで発売中
（以下続刊）

わかる日本書紀①
神々と英雄の時代
◆村田右富実、村上ナッツ、
つだゆみ／1400円
マンガと文章で、予備知識なしに読むことのできる日本書紀。1巻は神代～第13代成務天皇まで。

978-4-908443-32-9

金峯山寺の365日
◆五條永教、保山耕一
1700円
役行者が開祖、山伏のお寺として有名な金峯山寺の僧侶の日常を、豊富な写真とともに綴ります。

DVD付
47分

978-4-908443-66-4

癌封じの寺
大安寺の 365 日
◆河野裕韶／1500円
銀行員を辞めお坊さんになった若き副住職の修行の日々と日常。日本初の天皇立寺院、空海も学んだ由緒あるお寺の歴史や取り組み。

978-4-908443-76-3

記紀万葉

よみたい万葉集
◆まつしたゆうり、松岡文、森花絵、
村田右富実／1400円
当時の歌から、今と昔の感性の違いを新発見。万葉集の基礎や、当時の生活が垣間見えるコラムも充実。

978-4-901908-94-8

マンガ遊訳 日本を読もう
わかる古事記
◆村田右富実、村上ナッツ、
つだゆみ／1400円
日本人なら読んでおきたい古の歴史書・古事記。マンガと遊訳で古事記の流れがつかめる本。

978-4-901908-69-6

お寺の36

興福寺の 365 日
◆辻明俊、保山耕一／1700円
奈良で1300年の歴史を持つ興福寺の執事が綴る、日々の修行やお寺での暮らし。阿修羅像や中
金堂、五重塔などの写
も掲載。

石仏の
浄
真

＊西日本出版社の本は全国

＊本体価格はすべて税抜き表記です。＊掲載価

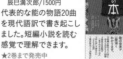

せんせいあのね

1年1組かしま教室①

ひみつやで

目次

＊子どもたちの詩は原則的に、原文に忠実でありながらも読みやすくしています。
＊放送禁止用語など不適切な言葉が見受けられた場合も、作品を尊重し原文のまま掲載しています。
＊無題の作品はそのまま掲載しました。

書き続けることで、ものの見方が変わる

ながた まさひと

おかあさんはかわいそうや
あさ6じにおきてそうじして
あさごはんをつくって
ぼくたちにたべさせて
あとかたずけして
せんたくして
9じにしごとにいきます
12じにかえってきて
ひるごはんたべさせて
1じにしごとばにゆき
6じにかえってきて
いちばにゆき　ゆうごはんつくり

それから　おふろにはいり
ゆうごはんたべてかたずけて
ぼくたちのべんきょうをみてから
そうじしておふとんひいて
11じごろねます
だから　おかあさんかわいそう

正人くんのお母さんは女手ひとりで2人の子どもを育てています。昼は会社に行き、夜に帰ってくると内職をする。いつ家庭の仕事をするのだろうと思うぐらい忙しい日々を送っています。働きづめのお母さんを毎日見ていて、正人くんは真剣な生活態度を知らず知らずのうちに身につけています。

正人くんはお母さんを早く楽にさせてやりたいと書いてきます。たった7歳の子の、親を思う優しさにふれて、私は涙し、私自身のつらい仕事を持続させる糧となっていました。

私はこのような子どもの優しさとか感性の豊かさをさまざまに書いてくる文章から学びました。ほとんどの子どもたちが毎日あのねちょうを提出していました。このことは決して子どもたちにとって楽なものではなかったはずです。実際、たびたびその苦しみを書きつけてきていました。

ふくいけ みゆき

このごろ　いつもいつも　かくことがない
どんなんをかいたら　まるをもらえるのかな
いつもかんがえても　かくことがない
いつもそとへでてみて
かんがえたことを　かいとうねんで
どんなことをかいたら　ええんかな

いつもわかれへん

私が、こんなに苦しんでいる子どもたちに言うことは決まっています。

「書くということはしんどいねんで。考えらな書かれへん。考えることはしんどいことや。しんどいことせえへんかったら、賢くなれへんねんで」

こんなことを書きながら励ましてきたのです。

私は他のことで子どもたちがしなければならないことには、あまいところを見せていました。たとえばプリントを忘れてもあまり子どもにきつく言いませんでした。けれども、あのねちょうについては、忘れないように励ましました。

書くことばかり強要するだけでは、子どもたちはいつか飽きてしまって書くのをやめてしまう。飽きさせないためには、子どもたちに喜びをあたえてあげなければいけません。

私は子どもたちの励みになり喜びとなるように、２つの方法をとっていました。それは、かなり疲れる仕事であるけれども、書き続けてくれている子どもたちへの、せめてもの私の感謝の行為でした。

ひとつは書いてきたものに対して、かならず赤ペンで私の返事なり、意見を書いてあげるということ、ひとことの時もあり、長い文になる時もありましたが、子どもの書いている文に則したものについて答えるようにしていました。内容を読まずに「よろしい」といった言葉で返事をしておくことなど一切しない。

私はこの赤ペンを子どもとの対話のつもりで書いていたので、わりあいにふざけた調子で返事を書いていました。子どもたちが、返してもらったノートをひろげて読みながら、にやりと笑っている様子がよく見られました。親も私の赤ペンを読むのが楽しみだと言っていたようです。

やました みち子

おかあさんは　せんせいのあかいじで

せんせいのこころが　みえるんやって
とてもやさしいせんせいです
こころがあたたかくなるよ
42にんのこどもよかったね　といっていました

原則として子どものノートはその日に返さなければならないと考えていました。でなければ子どもたちはその日のことが書けないからです。ノートを読み、赤ペンで返事を書くというのは大変な仕事でした。平均30人の子どもがノートを提出してくる。その中で、これと決めた、良い文章を私のノートに採集しておきます。

私は、その作業をするための時間を生みだすのに、早朝1時間早く登校して仕事をするようにしていました。我ながらよく続いたものだと思うのですが、習慣になってしまうとあたりまえになっていました。

休み時間にも読みました、給食時間中もパンをかじりながら読み、職員室にはほとんど帰れなかったので、孤独を感じたことがあったぐらいです。

そんな私のひたむきな営みを、子どもたちも少しずつ感じてくれていたようです。

もうひとつは、子どもが書いた作品の中から良いものを選んでプリントにするという作業です。これを「たからもの」という名前をつけて配布しました。

掲載基準は次のようなことです。

「……をしました」「……と遊びました」といった生活の事実をのべているにすぎないものはだめで、自分の目で確かめたことで感じたこと、疑問に思ったこと、意見、発見したことを書いたものに赤ペンでまるをあげて、掲載しました。

ただ、おかしいなと思ったことを書いたらいいのだよと言って子どもたちに説明しても、子どもたちにはなかなか分からないようでした。

むらい つぐなり

あのねちょう　ふつかつづけて　まるくれてありがとう
あのねちょうで　まるもらうの　むずかしいね
こたえがあれへん
さんすうやこくごやったら
こたえひとつやもん
あのねちょうがむずかしいね
ぼくは　なにかいていいかわかれへん
せんせい　ないしょでこたえおしえてね

まるのバーゲンセール

おおつか ともこ

あのねちょうで　つづけてまるをもらいました

おとうさんにみせたら
「せんせいはまるのバーゲンセールして
いるんじゃない」といいました
せっかくがんばっているのに　くやしい
まるは　かんたんにはもらえないんだよ

子どもたちに「まるをもらうのに、どんなこと、かいたらいいかおしえて」と言われても私には、こうしたらいいのですというように決定づけるものはありませんでした。

ただただ、私が良いと思う作品を選んで読んであげることで、私の言っていることを感じてもらうようにしていました。

そんなことを繰り返しているうちに、子どもたちは何かをつかみだしたようなのです。

なにも書くことがないと言う子どもに、親がこんなこと書いたらとヒントを出しても、「そんなことをかいてもまるをもらわれへん」と子どもが言うという話をしていた親御さんがいたのですが、この子には感覚的に良い題材というものが身についてきたのだと思いました。

あのねちょう

くろだ しょう

ぼくはあのねちょうをかくとき
なにかこうといっています
おかあさんは　あさからよるまでのことを
かんがえなさいとゆいます

感覚を一度得た子どもは、次から次へとまるをもらえる作品を書いてくるようになったし、そのことがわからない子どもは書いても書いてもまるをもらえないようなことが続きました。

むらい つぐなり

あのねちょうかく力もなかったけど
ふりしぼってかいたよ
いっかいも　いまごろまるをもろうてないもん
だから　さいごのちからをふりしぼった
もうちょっとで　たおれそうやってんで

ふじた きょうじ

せんせい　ぼくつづけて2かいまるもうた
そやから　ぼくはうれしい
また　まるをもらいたい
でもなかなかまるをもらうのは　むずかしいねんな
でもおもしろいことをかいたら
まるをもらえるねんな
ぼくも　おもしろいことをかいたら
まるもらえるねんな

子どもたちはまるをもらった喜びを書く。必死になって書いているのだからまるを欲しいと要求する。苦しみの中で獲得したまるだけに、その喜びもひとしおのようです。まるをもらいたいために、あのねちょうを書くというようなことになったけれど、私は子どもたちが書くという営みを続けられればそれで良いと思っていました。

この2つの方法でもって、子どもたちに書くための意欲を起こさせていました。しだいに、書くということが子どもたちの頭の中に常に意識されるような生活に変わっていったようです。

もとおか しんや

ぼくは　まいにちあのねちょうを
かんがえとうから
ねごとにも
ぼくは　いまあのねちょうを　かんがえとうねんで
とゆめでみていた

かわさき てつじ

あそびながら
あのねちょうを　なにかいていいか
かんがえとった
なんで　かんがえとって　あそぶかというと
かんがえとかな　なんにもかかれへんからや
べんきょうは　かんがえなあかんときがあるんや

子どもたちが遊んでいる時にも、あのねちょうのことが頭にあった。夢にまで見ている。よほど生活の中に入り込んでいたのでしょう。

子どもたちは何を書こうかという思いで、人間を見つめ、自然を見つめるようになりました。題材を探す意識が常にあったのです。あるお母さんは、

「私とお父さんがしゃべっていると、何をしゃべっているのだろうという思いで、いつも耳をそばだてている。私が料理していると、なんかかんか話してきて、なんでと言って納得するまでたずねてくる。何を見られるか、たずねられるか、油断ができません」

と言います。

なにかを書かなければならないと、子どもたちは必死でその題材を探している。

書くという習慣ができてくると、書く題材が見つかったときに、すかさずそれを文章にできるということになる。さりげない父母の出来事や会話、日常生活の中にいくらでも疑問に思ったり、批評めいたことを見つけたりすることができるものなのです。

のりまつ ひろみ

よそのおばさんにおかしをたくさんもらった
お母さんは「すみません　ありがとう」と

にこにこゆうていた
あとで
「こえるもとや」といって
あんまりいいかおをしてへんかった

何気ない母親の言葉、どこにでも見られる母親の姿、けれども書くことができなかったら、このような小さな出来事など、見過ごしてしまうことになります。ひろみちゃんは毎日書いていたから、なんでもないようなことをすかさずキャッチできたのです。

よしはら きみよ

おかあさんがおとうさんに

「ちょっとてつだって」といったら
おとうさんは　しらんかおでねていた
おかあさんが「おさけこうてきたよ」といったら
おとうさんは　むっくりおきてきた

きよみちゃんのお父さんの様子はどこにでもある、いつでも見られるようなお父さんの様子です。でも、その中に痛烈な大人への風刺が込められています。

このような作品は、先生がお父さんのことを書きなさいと言って、授業の中で書かされた作品からは出てこないでしょう。子どもの確かな認識力があり、それを書くという営みを続けているからこそ、このような作品が生まれてくるのです。

あのねちょうを続けていると面白い現象が見られるようになりました。それはあのねちょうを書いている子どもに対する親の変容です。

あのねちょうを書き始めた頃には、親は子どもたちにいろいろと指導の手を加えていたようです。

あのねちょう

いまいずみ ちえ

どうしてあのねちょうに
しのつくことばを かいたらだめなの
たとえばおもしろかったとか たのしかったとか
そうかいても
わたしはいいとおもうんだけどな

あのねちょう
いなば たつゆき

あのねちょうをかいてるとき
おかあさんがみせてといったら
ぼくは　やりなおしとかだめとか
いわんかったら　みせてあげるといいます
おかあさんが　いわんからといいます
でもおかあさんは　だめというときもあります
でもやくそくをしているから　こわいかおをしています

形式をきちんと書くということと、こんなことを書きなさいということを子どもに言っていたようです。ところが、親が求めるものと、私が求めるものは何か違う。

それで子どもたちは「そんなこと書いても、まるをもらわれへん」と言うようになり、子どもたちは何でも見たまま感じたまま文に書きつけました。それがプリントになって配られるので、プライバシーが公開されてしまうことがあります。

たかぎ はるよ

はるはな　まるもうてうれしかったから
おかあちゃんにあのねちょうみせたら
ものすごいおこってん
「なんでそんなことかくんや」
ゆうて　おにばばみたいなかおしておんねんで
おとうちゃんも
「おまえがもっとちゃんとみたれへんからや

はるも　なんでこんなことかくのん」ゆうねんで
おかあちゃんが
「もうはずかしいて　がっこういっても　せんせいのかおみられへん
ふろしきかぶっていかなあかん
もう　おかあちゃんなきたいきもちや」ゆうたけど
なんで　そんなおこらなあかんことかな
はるは　わるいことかいたおもてないのに
おかあちゃんはきびしすぎる

子どもに注文したことですら、子どもは題材にしてしまう。親はだんだんと言わなくなってきました。そしてひたすら子どもたちに書かれないように、自分の生活を変えるか、子どもの目に触れないようにと考えるようになってきたのです。

すずき ようこ

おかあさんがおとうさんのいうことききけへんかった
おとうさんが
「そんなんやったら
ようこにあのねちょうにかかれるで」とゆいました
そしたらおかあさんが
わらいながら　びーるをもっていきました

はやし みかこ

わたしとこの　おとうさんとおかあさんは
けんかはしません

なんでかというと
けんかをしたら
わたしにあのねちょうにかかれるから
せえへんねんで
おとうさんのかえりがおそかっても
おかあさんはおこれへんで

子どもに書かれるから、お母さんやお父さんが自分の生活を真剣に生きようとする、そんな様子まで伺えました。

情熱をもって、書かせるという仕事をし続けてきたのですが、その目的は書くことのできる子どもたちをつくろうというのではありません。よく見つめ、よく考え、そして心を開くことができる子どもをつくるということでした。

じゅんばん

ないとう ゆうこ

わたしがえらそうにしゃべると　おかあさんが
「なにをこどものくせにして」といいました
そういうおかあさんもおばあちゃまに
えらそうにいっています
「むすめのくせに　おやにそんないいかたは
ないでしょう」といわれています
みんなじゅんばんだなとおもいました
だけど　わたしはじぶんのこどもができても
ぜったいそんなことはいいません

解放されたのびやかな子どもが、教師に向かい合い、何でも話し合えるということが教育の原点ではないかと思っています。解放された子どもたちだからこそ、その子どもらしい珠玉のような言葉が出てきて、概念にない感性の鋭い見方が発せられることが可能となってきます。そんな子どもづくりが、私の学級経営の柱なのです。

ひ

ひみつ

やすみ くにのり

いそべさんがラブレターを
四かいだしたといっていました
名まえはひみつです
ぼくだけおしえてくれました
ひみつやで　ゆうたらあかんで　とゆうてました
そういって　いかりもとくんと　さかたさんにも
おしえていました

さこだ しげあき

やきもちいうたら
おとことおんながあいしあうことや

けっこん

ないとう ゆうこ

けっこんあるばむをみたら
おとうさんが　おかあさんのほうをむいていた
おかあさんも　おとうさんのほうをむいていたよ
たのしそうにしていた
いまはふたりでしゃしんもうつさないのよ
よるねるときは
だぶるべっとでねているけど

ときどきおとうさんが
べっとからおとされているんだよ

すきなひと

ないとう ゆうこ

わたしのすきなおとこのこが
はずかしいから　なまえはいわないけど
わたしのことを　すきといってくれたんだよ
むねがばくはつしそうだった

おかず

なかむら あきひろ

おかあさんのおじさんのところにいって
たくさんのおかずをもらってきました
おかあさんは　ばんごはんをつくらなくてもよかったから
らくそうでした

れすとらん

さかた ななえ

れすとらんへいきました
こぼしたりくちのまわりに
おかずをくっつけちゃだめだから

れすとらんはきゅうくつだ

おひるね

ふじもと ゆうじろう

おかあさんは
じぶんがおひるねをしたいので
ぼくに
おひるねをしなさいといいます

やせるきかい

ないとう ゆうこ

いつもおばあちゃまが　２かいにあがってきて
おかあさんの　やせるきかいをつかっています
ぷるぷると　おおきなおなかがゆれて
おもわずふきだしそうになりました
せんせいも　いちどやってみたらいいよ
おんなは　おばあさんになっても
スマートでいたいんだね

かくまね

くろだしょう

あのねちょうをかいていなかったから
おかあさんにおこられました

なきそうなかおで　つくえにすわりました
かくまねをしてたら
おかあさんはあっちへいきました

おそうじ

ないとう ゆうこ

おかあさんが　せっせとそうじをはじめています
きっと　おきゃくさまがくるのでしょう
わたしは　いつもきれいにおそうじをしてたら
おきゃくさまくるといって
あわててそうじをしなくていいとおもいます

おなら

きたもり ひろし

あのねせんせい
おかあさん
おふろでおならをして
おふろにあわがでました

おばあちゃんのおなら

やまざき たかき

ごはんをたべようとき
てーぶるがゆれたとおもったら

おばあちゃんのおならでした
みんなわらいました
あのねちょうに　ぼくがかこうていうと
おばあちゃんが　こんどせんせいにおうたら
はずかしいからやめといてとゆうたけど
だまってかきました
せんせい
おばあちゃんにないしょやで

おかあさん

ひろい　ひろお

おかあさんがびょういんへいったよ

ぼくみたいに　みじかくかみのけをきったよ
おとうさんはおとこみたいやというと
おかあさんぷっとふくれたよ
どうして　かわいいねっていってあげないのかな
ぼくは　かわいいっていってあげたよ
ぼくみたいにいってあげると　ごきげんがよくなるのになあ

おふろ

みねゆきよしえ

おとうさんとおかあさんが
いっしょにおふろに
はいるおとがしたので

わたしはあわてて
おとうさんをとめました
男と女はいっしょに
はいったらいけません
おふろやさんでは
べつべつでしょう
わたしは
あわててにゅうよく中のシールをつくって
おふろのどあにはりました
おとうさんは
「ふうふやから　かめへんやろ」
とゆったけど
わたしはどあのそとで
おとうさんがはいれないように

おふろやのおじさんみたいにして
みはりをしていました

やすい　みどり

おとうさんとテレビのとりあいをしました
ピンクレディのところに　みどりがかえました
それでおとうさんにみせへんかった
なんでゆうたら
見とったら
ピンクレディがすきになってしまうからです
ピンクレディがすきになったら
おかあさんがかわいそうだからです

しっこ

きたもり　ひろつぐ

しっこうしようとおもって
ずぼんをぬごうとしたら
ぱんつをはいてなかった
だれもわかれへんのに
はずかしかった

くごくん

ないとうゆうこ

わたしが

「くごくんだいすき」って
かんじをだしていったら
おかあさんは
「まけそー」といって
ひっくりかえりました
それにしても
どうしてくごくんは
あんなきれいなかおを
しているんだろう
くごくんのかおをみると
ちからがぬけて
からだがふにゃふにゃになります
かみさま　どうかおしえてください

おかあさん

みねゆきよしえ

おかあさんは　ふとったがな　いうて
かがみみて　右や左みてためいきついている
おつきさんも　ふとったりやせたりするけど
ふとったらためいきつくんかな
おつきさんは　ふとってもすぐほそくなるけど
おかあさんは　ぜんぜんほそくならへん
たいじゅうはかって　はりにらんどう
はかりには　なんのつみもない

にじゅうあご

なかむら あきひろ

おかあさんが　にじゅうあごになっているのは
むかしバイオリンをひいていたからだっていってるけど
ぼくはそんなのはかんけいなくて
ふとっているからだとおもいます
先生はどうおもいますか

さんかんび

いまいずみ ちえ

わたしはおとうさんがいたから
ちょっとはずかしくて　こうふんをしていました

わたしはすこししか　てをあげなかったです
せんせいは　ぜんぜんわたしをあててくれなかったです
せんせいは　いつもよりはやさしかったです
よいことばをいっていました
きもちわるかったです

あんた

はせがわ まい

せんせい
ひとのことをあんたとよんでいるのは
くせでしょう
あんたってゆわんと

はせがわとか　ゆいよ
わたしだって
じぶんのくせは　なおしたんだから

さんかんび

しまだ ゆうすけ

おかあさんは　さんかんびのときだけしろいんだよ
おけしょうをしているからなんだよ
なんでさんかんびのときだけするのかな
おけしょうしなくてもきれいなのに

おかあさんのて

しまだ ゆうすけ

ぼくはねるとき
ときどきおかあさんのてをもつよ
おかあさんのてはあったかいよ
おかあさんのみぎてはぼくのもの
ひだりてはおとうさんのものだよ
おかあさんのてをもつと
すぐねれるよ

ゆめ

ないとう ゆうこ

ゆめをみました
わたしのおっぱいがおおきくなったゆめです
わたしはいいゆめだとおもいました
あさおきておっぱいをみたら
ちいさくなっていました
さいこうなきぶんだったのに
ゆめがこわれてしまいました

およめさん

こうの さとし

おとうとが
「お父さんよくこんなぶっといおよめさんをもらったね」

といいました
おかあさんは「ぎゃふん」といって
ひっくりかえりました
おとうさんは
「げんきなだけでうれしいよ」
といいました
つぎの日から
おかあさんは
おかしをたべなくなりました

み

かげ

わだ まさよ

いつもじゃないとき
としょかんへいくとき
おかあさんのかげ　ふんであるく
だっておかあさんがすきだから
かげまでだっこしてるの

はっぱ

きむら いちお

はっぱがゆれた

かげのはっぱもゆれている
ゆらゆらゆれて
はっぱがとびだしてくるよう

たけだ のぶたか

おうちにかえったら
ものすごい　おへやがあかるかった
おだいどころも　おれんじいろ
たいようが　ぼくのおうちにはいってきたみたい
ばんごはんをたべよったら
たいようがやまのところにかくれた
おかあさんがでんきをつけました

あさがお

たむら まさひろ

あさおきて
「あさがお　おはよう」とゆおうとしたら
おおきなふくらみがしていた
かおをあらってごはんをたべて
がっこうにいこうとしたら
ちいさいはなが「ポン」といってひらいた
ぼくは「おはよう」とおおきなこえでいった

つばめのあかちゃん

いまむら ただお

つばめがすうから　おちてしんでいました
ありにたべられていました
あしをさわってみたら
かたいはずなのに　すごくやわらかかったです
つばめはあかちゃんでした

おかあさんのて

うちだ ようこ

おかあさんは　おこめをといでいました
おかあさんのてはおおきい
おかあさんのてはちからがある
おかあさんのといだおこめは　しろくてきれい

みずでとぎ
なんかいも　みずをいれたりほかしたりしていました

おふとん

かきもと ひでき

ねようとおもったら
おふとんがふんわりとふくれて
ふとんのかばあも　さらっぴんになっとう
ふとんをふむと
ばりばりていうとう
のりのおと
ねころぶとあたたかい

たいようのにおいがする
おとうさんは　だいのじにねて
しんぶんをよんでいた
ぼくも
ちいさなだいのじになってねた

のりまつ ひろみ

おねえちゃんがおといれにはいったら
あぶらむしがいたんだって
そしたらおねえちゃんが
わたしのほうがかった　といってでてきたの
だからわたしも　どうなっているか

といれに　みにはいっていったら
あぶらむしがいっぴきしんでいたの
あぶらむしも　いきたいのにころされてしまった

みぞがみ さえこ

きんじょのあかちゃんをだかしてもらった
おばちゃんが　まだめがみえへんねんでといった
わたしのかおみてわらった
きっと　かみさんがわらわしたんやろな

おけしょう

ないとう ゆうこ

おかあさんのめは　ふたかわめでおおきいのに
あいらいなあで　おけしょうをします
もったいないとおもいます
でもまゆげがふといので
まゆげかきはしませんよ
ぱっくをしたら
わたしにめくらしてくれます
おかあさんのかおが　どんなにきれいになっているか
たのしみにめくるけど
でてくるかおはもとのかおです

ぱんつ

むらの かおり

おかあさんのぱんつはちいさいのに
わたしのぱんつはでっかいの
おかあさんのおしりのほうがおおきいのに

おじいちゃん

いもと なおこ

おじいちゃん
はげちゃびんやのに
おふろにしゃんぷうをもっていく

おかあさんのなまえ

にしかわ ちかこ

おかあさんのなまえは
たえこです
でも
はんたいによんだら
こえたになります
おかあさんは　ほんとうにこえてます

かくのさん

なかお ひろこ

かくのさんは　あのねちょうで
いつもいっぱいまるをもらっている
どうしたら　まるがもらえるのかききました
はっけんしたこととか
きがついたこととか
じぶんでかんがえたことをかくのと
おしえてくれました
おしえてくれたのは
かくのさんのおばちゃんです
やっぱしかくのさんのおばちゃんが
えらいんやなあ

おじいちゃま

ないとう ゆうこ

おじいちゃまが
ゆくえふめいになってしまいました
それは　みはっていなかったからです
けいさつやともだちにゆって
さがしてもらったのに
いないから　みんなおこっていました
でもちゃんとじぶんでかえってきました
そこがおじいちゃまの
いいとこだとおもいます
でも　のうけっせんって

たいへんなびょうきなんです

さんかん

すぎやま かおり

こうちょうせんせいが
えらいせんせいと
きょうしつにみにきました
すこしだけしか
じゅぎょうをみなかったよ
あんなんで　じゅうぶんなんかなあ
わたしたちの
べんきょうしているようすが

わかるんかなあ
せんせいは
すこしだけだったから
よかったんでしょう

29たい2さい

あらい ゆみこ

おかあさん
おとうとをおこっとったら
けんかしとうみたいやった
おかあさんは
29さいで

おとうとが
2さいや
だから29たい2さいのけんか

じんこうこきゅう

いぐち あや

こうどうで
しょうぼうしょのひとがいっぱいきて
じんこうこきゅうと
しんぞうのマッサージをおしえてくれた
にんげんみたいな　にんぎょうでやったんだよ
くちからいきをいれて

むねを五かいおしたんだよ
よそのおばちゃんがじゅんばんにやって
五かいぐらいやっただけで
つかれたといってやめちゃったんだよ
それぐらいだったら　しぬよといったよ
よそのおばちゃんは
ほんきのときになったら
もっとがんばるといっていた
しょうぼうのおじちゃんは　あせびしょびしょになって
おしえてくれた
おじちゃんのふく
あせかいたとこだけ
みずにぬれたみたいに
ふくがびっちゃんこにぬれてたんだよ

おこられました

なかむら あきひろ

きょう3つせんせいにおこられました
1こめ　中村なにしとんねん
2つめ　中村っ！
3つめ　中村つくえはこべ！
せんせい　あまりおこらないでください

いえでごっこ

なかむら あきひろ

おかあさんといえでごっこをしました

ぼくが「ながいあいだおせわになりました」
っていうと
おかあさんは
「わかれるのはつらいけど　げんきにくらしてね
こうちゃでものんでいったら」
っていったので
ぼくはこうちゃをのんで
おかしをバックにつめこんで
いえでをしました
いっぷんぐらいしてから
「ただいま」ってかえると
「しばらく見ないあいだにおおきくなったね」
っていったから
ぼくはせのびをしてあるきました

なかむら　あきひろ

もうめちゃくちゃ
おかあさんがあたまがいたくて
たおれています
おねえちゃんもはらがいたくて
たおれています
ぼくのいえにかっている　ラッコというなまいきな犬が
あがってきて　そこらへおしっこをしました
もうへやのなかはめちゃくちゃです

おかあさん

なかたに　ゆうすけ

おかあさんは
やさしいからおこるんやと
せんせいはかいてくれたけど
ぼくはちがうとおもいます
おちゃわんふきをしなかったり
かおをあらわなかったり
ぼくのもんを
かたづけなかったら
ごっついおこります
おかあさんがそんをするから
おこるとおもうんです

にんげん

みねゆき よしえ

にんげんてなんでしぬんかな
なんでしんぞうなんかつくられたんやろか
かみさまもしんぞうあるんですか

ほりもと まなぶ

おかあさんにいっしょにねてゆうたら
1ねんせいやから　いやってゆうた
なんでねてくれへんのんや
おかあさんが　おとうさんとねたいってゆうた

じ

おおつか ともこ

じはおこったり　いらいらしたときにかくと
へたなじになる
やさしいきもちで　ていねいにかいたじは
きれいでじょうず

せんせい

きたもり ひろつぐ

せんせいは

おこっているときはこわいかおだけど
わらっているときはこあらのかおだよ

いえ

かめいきよしこ

おかあさんがおしごとにいっていると
いえがくらくかんじる
おかあさんがかえってくると
あかるくかんじる

つ

かお

のりまつ ひろみ

かみをきって　もらったら
かおがおおきくなった

わだ よしこ

はっぱをにおったら
みどりのにおいがした
ままごとをしてたべたかった

っ

かたつむり

しまだ ゆうすけ

かたつむりはにんじんがだいすきだよ
にんじんみたいな
おれんじいろのうんこをするよ

はやし みかこ

こうえんのぽぷらのきをみていたら
かぜできがゆれてたから
ぼんおどりしているみたいやった
いえにかえるとき

また　きをみたら
わたしに　ばいばいしてるみたいやった

なつ

おおつか ともこ

このごろがっこうのかえりあついね
おてんきのひには
みずをまくと　すこしあついのがとまる
あせがながれて　はやくおうちにかえろうと　おもってはしると
あせがながれてくる
でもあとであせがみずになって
すずしくなるね

あついあつい

よしはら きよみ

おとうさんがさんぱつをしてきたから
おかあさんがおとこまえになってといったら
おとうさんは　かがみをみていました
わたしが　かおとちがうで
あたまがきれいよといいました

おおの けいこ

あたしのところに
ぶらさがりきがあります
おとうさんがかいました
あれこうて　からだをつよせなあかんと
いうてました
あたしがぶらさがりきにぶらさがって
30びょうぶらさがって　ぱっとてをはなすと
てがしびれた
おとうさんはかってから
ぜんぜんやってません

すずき ようこ

わたしはひがさをささないのに
おかあさんはさすのよ
おあかあさんは　ひにやけるのがいややから
ぱっくせなあかんようになるからやって
こどもは　ひにやけたほうがいいからとゆうのになあ
じゅぶんだけびじんになりたいから
しとんのかな

すわ ぁきこ

こんだんかいやったやろ

っ

テレビのカメラのおっちゃんが
うつしにきとうでゆうたら
おかあさんがはずかしがって
もういきたないわっていうとった
けど　いってみたら
うしろばっかりしかうつしてくれへんかった
せっかくきれいにしたのにって
いうとったわ

ゴルフ

なかむら　あきひろ

きょうはあさはやくから

おとうさんもおかあさんもゴルフでるすです
あさごはんは　おねえちゃんにつくってもらいました
ゴルフってなんであさはやくするのかな
子どもがめいわくをします
おこらんといてね
つうしんぼぜんぶ「よい」にしてね
そしたら　まんがえいがにつれていってくれます
ぜったいおねがいだよ

日よう日

なかむら　あきひろ

あさおきたらもう10じはんでした
っ

８じのゲートボールをみそこねました
せめて目ざましどけいをだしてたらよかったのに
おとうさんがゴルフにいくときに
おこしてくれたらよかったのに
おかあさんはあてになりません
ぼくといっしょにスースーとねています

きんぎょ

いしかわ ゆうき

ぼくのいえに　きんぎょがいます
ぼくがじっとみていたら
あんまりうごかないので

しんでいるかとおもって
ゆびでつついてみると
みずをとばされました
きんぎょって　じっとしてねるのかな

へび

きたもり ひろつぐ

いえにかえったら
おかあさんがたすけてってゆいました
どうしてかとゆうと
もんのうえにへびがのっていました
そのへびは　せなかがぺけだらけで

こわかったです

たいふう

オイエスタッド せいいち

ゆうべたいふうで
まどのそとはおおさわぎでした

ざりがにがたべられた

みねゆき よしえ

ねこに　ざりがにがたべられた

かわいそうに
ざりがに
いたかったやろなあ
あたまもしっぽも　のこってなかったよ
それやのに　ねこはしらんかおしてねてた
わたしは　あほゆうてけっとばしたけど
めいわくそうなかおしてにらんで
また　ねたよ

こうき　あけみ

おすしやさんにいったら
っ
えびがいました

えびはケースからずっとそとをみていました
もうすぐたべられるから
なにかかんがえとうのかな
おかあさんのことをおもいだしてるんかな

ゆめ

きたもり　ひろつぐ

まえのひのよるゆめをみて
ひとりでねてたのに
かいだんをおりて
おばあさんとねていました
あさになっておきたら

びっくりしました

おじいちゃま

ないとう ゆうこ

おじいちゃまはやさしいけど
びょうきだから
わたしをときどきたたきます
いつもあたまがよくなるように
たくさんのべんきょうをしています
わたしはおじいちゃんのてをひいて
おさんぽにいきます
よそのひとが　おじいちゃんのびょうきは

なんのびょうきってききました
わたしは　のうせっけんってゆったら
みんながわらいました

ぼくパクッとれへんで

さこだ しげあき

はまだへいって
キャンデーをかいました
おみせにきた
おにいちゃんが
ぼくがキャンデーを
パクッたといいました

おみせのなかに
じどうカメラがありました
ぼくは
おにいちゃんに
パクったんやったら
じどうカメラに
うつっているやんとゆうた
おにいちゃんは
じどうカメラをみました
うつって
いませんでした
おにいちゃんは
あやまりませんでした
ぼくは　くびしめたろかとおもいました

でも　おおきいにいちゃんやったから
あかんと　おもいました

やすい みどり

きょう　さこだになかされて
くやしかった
ぜったいおかえししたろうとおもったけど
すこし　こわい
だからなかされへん
どうしたらいいやろ
わたしはかんがえきれへんねん
せんせい

どないしたらいいかわかるか

やすい みどり

じどうかんで　うでずもうたいかいがありました
1ねん1くみのこは
すみちゃんとさこだくんがきていました
さこだくんにもすみちゃんにもかちました
さこだくんとしたとき
力いっぱいだしました
もうちょっとでまけそうでした
でもかちました
すみちゃんともしました

すみちゃんにもかちました
いちねんせいのこ　ぜんいんにかちました
いちねんせいでは1とうしょうでした
けんかでは　さこだにまけるけど
うでずもうで　かってうれしい

こどものけんか

さこだ しげあき

ぼくとたかことけんかをしていました
おかあさんが　よこからくちだしをしました
それで　たかこがわるいのに
ぼくがしつこいからといって　てをねじました

ぼくは　こどもとこどものはなしやのに
おとなは　くちだしせんでもええといいました
おかあさんは　だまってしまいました

さこだしげあき

がっこうで　しょうじょうをもらいました
いえにもってかえって
おかあさんにみせました
おかあさんは　おどろきました
「それどうしたん」
「えのしょうじょうで　もうてん」ゆうた
おとうさんもきた

っ

「どうしたん」
「えのじゅんかいてんで　もうてん」ゆうた
ぼくがしょうじょうもうたら
みんな　びっくりするんやな

もとおか しんや

かみさま
ぼくはあんまりあほやから
のうみそをかえてください

でんわ

さこだ しげあき

だんちのでんわぼっくすから
いえにでんわをかけました
まちがえたといってあやまりました
いえにかえったら
おかあさんが「しげちゃん　さっきでんわを
かけたんちがう」といった
ぼくは「なんでしってるん」といったら
「しげちゃんのこえやったから」といった
おかあさんが　わかいこえで　はなしたので
ぼくはびっくりして　きってしもた
あんなきれいなこえがでるとは　しらんかった

むらい つぐなり

おとうさんは　ぼくに
じぶんのことはじぶんでしなさい
とゆうたけど
おとうさんは
なんでもおかあさんにしてもろとう

けっこん

だいとう まさかず

おとうさんとおかあさんは
しょくばけっこんです

おとうさんは
おかあさんが　およめにしてほしいと
いったからだといいます
おかあさんにきいたら
おとうさんが　ぜひともおよめにきてほしいと
いったからやといいました
ぼくはどっちかが
ほんとうのことをいっていないとおもいます
だけど　どっちでもいいことです

せんせいへ

ふかみ よしゆき

おかあさんは
せんせいのおよめさんにはなれません
だって　おとうさんがさきにみつけたし
ぼくのたからものです
それにおかあさんは
はやくおきれないから
けっこんしたら
せんせいは　いつもちこくしちゃうよ
だから
ぜったいにだめです

おれのおんな

おおほり しゅんすけ

おとうさんがぼくに
しゅんすけは
だれとけっこんするんやときいた
ぼくは　おかあさんとするねんというた
あんなおばはんのどこがええんや
おとうさんは　わかいのんがええわというた
それでも　おかあさんがええわというたら
おれのおんなにてをだすなといった
あほらして　はなしにならない

しちょうしょう

かしわぎ みずほ

おとうさんは
のりのひんぴょうかいで
こうべししちょうしょうというのを
もらいました
トロフィーとしょうじょうとしょうひんを
トラックにいっぱいもらってきました
じてん車やおなべがありました
「わたしがてつだったからもらったの」
ときくと
おとうさんは「そうやで」といいました
わたしは

っ

これからずっとてつだってあげる

おかあさんのこころ

きむら　いちお

せんせい　ひみつやで
おちちはおかあさんのこころ
あかちゃんがのんで
おかあさんのこころが
あかちゃんにつたわる
それから
おっぱいのこころをいっぱいためて
こころのおおきい　にんげんになっていく

そやから
おかあさんのこころは
ええこころでなかったらあかん

1にち

きむら　いちお

1にち24じかん
みじかすぎる
だれがきめたんや

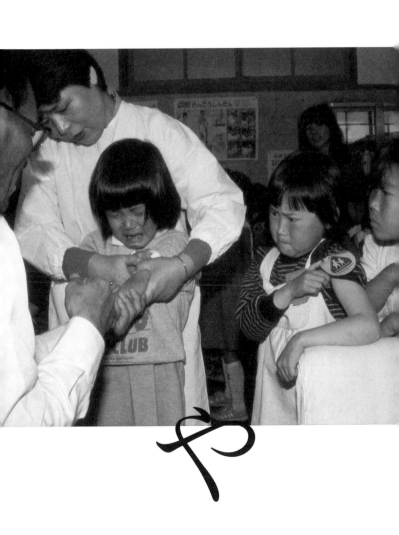

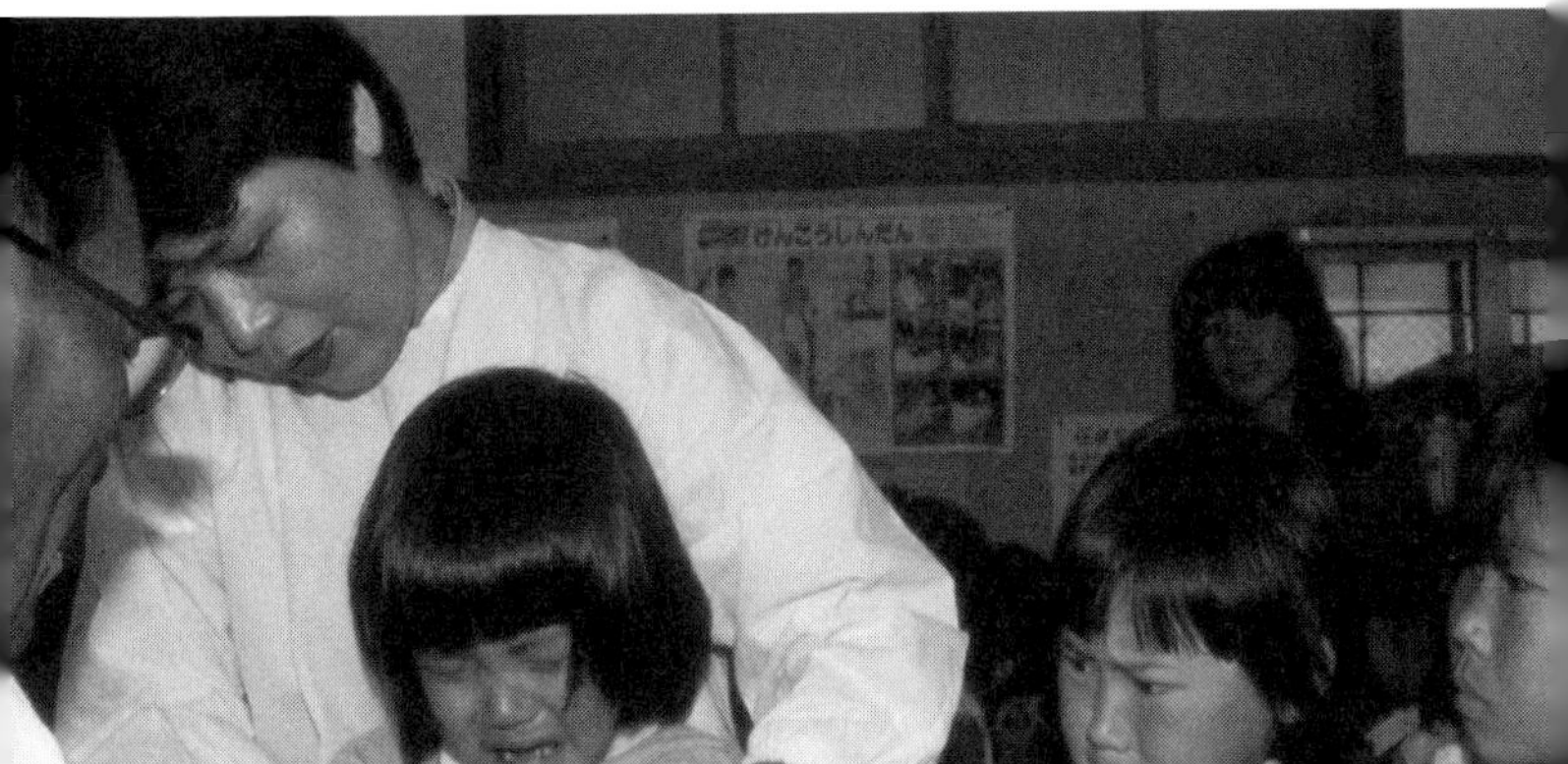

や

こうき あけみ

しんだおばあちゃん
きょう　うれしいことがあったんかな
おつきさまがものすごく
ひかってきれいだったのよ
わたしは　しんだおばあちゃんが
おつきさまにいるとおもっているんです

はやくしなさい

おおつか ともこ

おかあさんは　いつもはやくしなさいとか

もうできたのとかゆうのに
きょうはいいません
ラジオで　こどものしつけのはなしをききました
きょうは　なにもちゅういをしません
でもしばらくたつと
いつもとおんなじになるとおもいます

なまえ

山下　みちこ

おかあさんはわたしのことをいろいろとよびます
みちことよぶときは　おこっているとき
みっことよぶときは　ふざけているとき

みっちゃんとよぶこときは　やさしいとき
おとなになっても　いろいろとよぶんかなあ

やすいけしょうひん

よしむら せいてつ

おかあさんが
「きょう　やすいけしょうひんこうてきてん」
ゆうたら　おとうさんが
「なんぼええけしょうひんつこうても
むだやゆうことが　やっとわかってんな」
と　わらいながらゆうた
やすいけしょうひんは

おとうさんのへやーとにっくやった

きょうよう

よしむら せいてつ

おかあさんが　ふじんざっしをみとったら
おとうさんが　そんなしょうもないもんよまんと
もっと　きょうようがみにつくほんを
よみゆうた
もうきょうようは　みについとうから
もうええねんゆうた
それは　きょうようじゃなくて
えいようやゆうた

こばた やすひろ

せんせい
これはぜったいひみつだよ
ばんごはんをたべながら
うんどうかいのはなしをしました
おばあちゃんが
「かしませんせいいうたら　わらうとえくぼがでる
かわいいかおのせんせいだね
ほんとうにかわいいかおしてるわ」
ゆうて
はなしとったで
おばあちゃんは　うんどうかいをみないで
なにをみとったんかな

おとうさんのしごと

かしわぎ　みずほ

おとうさんは
はるとなつは
つりぶねとたてあみをします
あきは
のりあみの　たねつけいくせいをして
ふゆは　のりのしごとです
「いつがやすみなの」ときくと
「いつでもやすみやし　いつでもしごとや」
といっています
「これからのりのしごとやから

さむくないの」
「さむいけど　おかねもうけやからな
しんぼうせなあかんのや」
といいました

おかあさん

きたもり ひろつぐ

このまえおかあさんは
いなばくんが　かっこいいからすきだといいました
いなばくんにきいたら
おかあさんのことを
おばはんやからきらいっていいました

おかあさんは　ちょっとはおばんだよ
だけど　のこりはかわいいよ

すずききょうこ

おかあさんが
もうすぐおかあさんのたんじょうびだからね
おけしょういれるふくろ　こうてとゆうた
おかあさんとしとるんが
いややから
たんじょうびきていらんとゆうたのに

けっこん

さこだ しげあき

おとうさんとおかあさんは
おみあいけっこんです
おかあさんはぶっといいし
おとうさんはよわいけど
口ではかちます
ぼくは　ぜったいれんあいけっこんをします
じぶんでえらびます

あさ

いのうえ きみお

あさおかあさんがねぼうした
おとうさんが
あさごはんをたべられなかった
おとうさんは
おおきなこえでおこった
かおをあらって
ぎゅうにゅうを一ぱいのんで
たばこをすうて
ものすごいはやさで　でていった
だけどぼくには
いってきますの　あくしゅをしてくれた

きんろうかんしゃのひ

みねゆきよしえ

きょうは　きんろうかんしゃのひで
はたらくひとにかんしゃするひです
でもおかあさんは　いちにちじゅう
はたらいとった
おとうさんは　あさからばんまで
どこかにいってあそんできた
いっかい　いえにかえってきて
よるは　まあじゃんにいってかえってきません
おかあさんだけが
いっしょうけんめいはたらくひでした

おとうさん

すみたに なみ

おとうさん　このごろかえるんはやいで
てれびみとったらすぐにかえってくる
こころのなかで　おとうさんすきやなと
おもうとう
だからかな

おみあい

せんさい みき

きょうはおみあいのひ

おばちゃんが　もしかけっこんするひとと
きっさてんにデートにいった
おみあいって　なにするのってきいたら
めえとめえをみあわすことやとゆわれた
めえとめえをみたら
あたまに　ぴんとでんきがきたら
けっこんしてもええんやって
おばちゃんに　ぴーんときたかときいたら
わかれへんわって　ゆうとったから
うまくいけへんのんとちがうか
おかあさんも　みあいけっこんしたけど
ぴーんときたんやって
そやけど　まちがいもあることしらなんだんやって

おとうさん

くご いくひろ

おとうさんはまくらをだいてねていました
きっと　かのじょだとおもっているのでしょう
おかあさんを　きらいになったのかなあと
おもいました

お父さんがいなくっても

てらだ まさし

ひさしぶりに
パパがプレゼントをもってきてくれました

パパはけっこんしたんだって
あいての人に四さいの子どもがいる
パパもついにけっこんしたのか
ぼくはその子にあいたいなぁ
おとうとになるんだよ
ぎりのきょうだいというんだって
ママも　いい男をさがす　ばっかりいっています
ぜったいに
パパよりもいい男をさがすんだって

ごきげん

てらだ まさし

ママが
ごきげんでかえってきました
「どうしたの」ときくと
「でんしゃのなかで
おじさんに
おちゃをのみにいきましょう
とさそわれたんよ」
といいました
でも　ママが
「まさしをほっといて
いくわけはないでしょう」といいました
いっつもママが
おとこのひとに
こえをかけられたらいいのに

だって
ごきげんでかえってくるもんね

おおみやくん

みぞがみ さえこ

ちょうかいのとき
おおみやくんは　はしってばっかりや
へいきんだいのところへいったり
てつぼうのところへいったりして
こうちょうせんせいのはなしを
いっこもきいてへん
さえこが手をつないだら

おおみやくんの手は　ほかほかで
ペットみたいにやわらかい
そのときは　おおみやくんのびょうきは
なおったみたいにおもう
うんどうじょうに　ねころんどったりしてるときは
きげんがわるい
そのときは　手がこおりみたいにつめたいよ

おおみやくん

おくたに あゆみ

わたしは　おおみやくんがここへきてほしい
ちょうかいのときは　あばれてる

おへやのなかは　うろうろしてる
わたしは　そんなこがそだてたいんです
みんなのちからで　なおすのが一ばんです
そのほうがいいとおもいます
むこうへいったら　さびしいもん
ずっといたらいいとおもいます

おおみやくん

やすい　みどり

おおみやくんに
「なんさい」ってきいたら
なんにもゆえへんかった

それで
ひこうとうのすべりだいからおりてきて
「おんぶして」ってゆうた
それからじゃんぐるじむのところへ
いってしもうた
おおみやくんが「だっこして」ってゆうたとき
かわいかった

よしこちゃん

いなば たつゆき

よしこちゃんが　こころのびょうきじゃなかったら
かばんもひとりでなおせるし

おべんきょうもいっしょにできるし
ちゃんとしゃべれるよ
ぼくのこころを　はんぶんあげようかな

さこだ しげあき

ぼくがひるねをしていました
ぼくがあせをかいていたら
たかこがあせをふいてくれて
せんぷうきをまわしてくれました
たかこがおかあさんに
「おくさん　こどもがあせをかいてだめじゃないの」
といったそうです

たかこは4さいです

おかあさん

ひろい ひろお

きょうも
おかあさんはおこっています
でもなんでおこっているのかわかりません
みんなはいつもより
「はいはい」といいおへんじをしています

おかあさん

いなば たつゆき

きょう
おかあさんはぜんぜんおこらなかったです
おかあさんのにこにこしたかおは
1ばんきれいです

おかあさん

のむら しゅうへい

おかあさんはかるくおこると
おやつとかあめちゃんなしといいます

あしたになったらくれます
どうしてかというと
あしたになったら　わすれてしまいます

おかあさん

みなみ　ゆかり

ゆかりのおかあさんは
ゆかりが０さいのときにしんだ
だから　かおもすがたもわからへん
おかあさんのしゃしんも　ないからわからへん
ゆかりのおかあさん　どんなひとかな
きれいなひとかな

目がわるいひとかな
おこりんぼのひとかな
ゆかりは　おこりんぼのひとがいいとおもいます
かなみちゃんのおかあさんみたいなひとがいい
かなみちゃんは　おこりんぼのおかあさんやいうけど
ゆかりはおかあさんに
いっぺんおこられてみたいです

ぼくはいきとる

きむら　いちお

ぼくはいきとうから
こじきにもなれるし

しゃちょうにもなれる
いきてなかったら
こじきにも　おとなにもなられへん
でもしんでゆうれいになって
よるすきなこともできるな
いっぺんライオンのおなかのなかに　はいってみたい

にんげんとおもちゃ

わだ まさよ

にっぽんじゅうのにんげんと
にっぽんじゅうのおもちゃと
どちらがだいじやとおもう

それはにんげんや
にんげんは　ぜんいんがしんでしもたら
おそうしきできへん
犬がおそうしきするんか
そしたら
おもちゃがあそんでくれへんからなく
でもおもちゃもたいせつや
だっておもちゃがこわれたら
にんげんがなく
どっちもたいせつや

で

こどもとおとな

きむら いちお

おとうさんのこどものときは
はやくおとなになりたかった
おとなになったら
もういっぺん
こどもにもどりたいといっている
こどもはべんきょうするだけやから
いいなあといった
おとなでも　べんきょうできるでしょ

たいよう

こばた やすひろ

ふゆのたいようは　なんかよわそうやで
なつのたいようは　なんかつよそうやで

小さなくさ

みねゆきよしえ

さむいところでは
ゆきのおふとんかぶって
小さなくさはねむっている

さこだ しげあき

ゆうべねるとき
おかあさんがてをつないでねてくれた
おかあさんのては　とてもあたたかかった
ぼくはぎゅっとにぎってねました

おゆ

やすみ くにのり

おゆがわくと
やかんがぴーとなるんだよ
おゆがでるところに

ちいさいあながあるんだよ
ぼくがくちぶえふくのといっしょだよ

おかあさんの手

よしむら せいてつ

おかあさんのては
あさからよるまで　みずしごとをしているから
てがまっかや
そやから　よるになったら
てをまっさあじばっかりしとう
かおはなんぼしても
いっしょやから

あきらめている

かねもちとびんぼう

きむら いちお

かねもちはかぜひきになったら
すぐびょういんにいく
びんぼうは
かぜとかになれとうから
びょういんにいかんと
なおすしかたをしっとう
かねもちはかばいすぎ
びんぼうはやりすぎ

いつもふつうでいい

おくたに あゆみ

せんせい　へそくりしってる
わたししってる
れいぞうこに　おかねがはいってることやで
これはおとうさんにないしょやで
わたしとおかあさんの
おんなどおしのひみつのおはなしです

おふとん

おおつか ともこ

おふとんほしたらいいきもち
おひさまのにおい　いいにおい
くものうえにふわりふわりのってるみたい
あったかいおふとんでいいゆめみたい

ふくいけ みゆき

わたしがほんをよみよったら
ほんがわたしをよんでるみたいな
かんじがしました

ほんゆうたら
ほんのなかに
にんげんがはいっとうみたいでした

きょうからおとこのこ

すぎもと りさ

うちのねこは　いままでめすだとおもっていたので
まりというなまえだったんだけど
きょう　ほかのひとがおすだといったので
おかあさんがおすかなといって
なまえをまりおにしました
きょうから　おとこのこになりました
で

まいにち

なかむら　あきひろ

ぼくはまいにちおふろからあがってきたら
いつもパーマンタオルをパーマンマントにして
とびまわります
そしたらお母さんがかぜひくから
はやくパジャマをきなさいっていいます
まいにちおなじパターンです

おかあさんのこども

なかむら　あきひろ

で

おかあさんが1年生の時
きゅうちょうさんというのをしていて
みんなのまえでごうれいをかけたり
先生のてつだいをしていたんだって
それに　はきはきした子だったんだって
だから　いまのぼくとぜんぜんちがうよっていいます
「おかあさんの子どもだったら　もっとしっかりできるはずよ」
といつもおこります
ぼくはうちべんけいなんだって

はつこいのひと

さかい　かずゆき

おかあさんは
ちゅうがく三ねんせいのとき
おなじクラスのすてきなおとこのこが
すきでした
でも　おかあさんは
はずかしくて
いちどもしゃべったことがありません
だからそのおとこのこは
おかあさんがすきなことが
きがつきませんでした
でも　おかあさんは

きょうしつで
かおをみるだけでもしあわせでした
いま　どんなおとこのひとに
なっているかなあといっています

はらせんしゅ

さかい　かずゆき

きょじんのはらせんしゅがけっこんします
おかあさんは
はらせんしゅのおよめさんに
なりたかったのに
ざんねんでした

パーティ

さかい　かずゆき

おかあさんは
かしま先生のしゅっぱんきねんパーティに
いきました
うきうきとしておちつきません
きれいにおけしょうして
にこにことでかけていきました
おかあさんは
かしま先生の大ファンです

かくれんぼ

たけだ けい

おとうさんとおかあさんがねるとき
おとうさんがずっとかくれとってんで
おかあさんがはをみがいて
にかいにあがってみると
おとうさんがいません
さがしていると
おとうさんは
そふぁーのうしろにかくれとってんで
おとうさんが
「はやくさがしにきてえな
ずっとかくれとかなあかんやんか
そとにでたらわからんやろ　はははは」

とわらっとったから
おかあさんが
「あんた　ええとししてひまやなあ」
とゆうていた
ぼくがねているときも
おとうさんとおかあさんは
あんなことしてあそんでいるんやなあ

きれい

たけだ けい

おかあさんが
じぶんでパーマをあててみじかくしました

で

おとうさんがかえってきたとき
おかあさんは
「きょうはきれいやろ」といったら
おとうさんは
「おっ　げんかんのじゅうたんをこうたんか
すごくきれいになったなあ」といいました

はやし　みかこ

おかあさんは　すもうがすきやで
おすうもうさんのおしりがみたいから
「ひもがとれたらおもしろい　とれたらいいのにな」とゆうねんで
えっちやろ

わたしとこは
おとうさんよりおかあさんのほうが
えっちやねんで

おややのいうこと

なかむら　あきひろ

しんしつのしょうじをやぶりました
お母さんは　おとしだまやこずかいで
べんしょうしなさいって　むちゃくちゃいいました
これがおやのいうことか

すわ　あきこ

わたしがさきにおきて
おなかがすいとうのに
おかあさんねとうから
わたしがおこして　はやくおきはやくおき
ゆうたら
おかあさんは　へんじみたいに
おならを一っかい　ぷっとなった
おきますって　ゆうとうみたいやった

みずたまり

きむら　いちお

みずたまりができているところに
かぜがふいた
じっとみとったら
みずたまりがゆれてさぶそう

なりっぺ

きむら　いちお

なりっぺは1がっきのときは
みんな　なりっぺにまけるかとおもとった

なりっぺはいっぱいなかしょった
おとこのこもおんなのこも
あしをひっかけたり
けっとばしたりして
だれでもなかしょった
なんで　みんなをなかしょったかというと
なりっぺは　ともだちがなかったから
よわいもん　なかしよったんや
ほんまのともだちがほしかったんや
このごろ三がっきには
なんにもなかしてないから　こわくなくなった
なりっぺはほんまはやさしいんや
やさしいからなかしょったんや
ほんとうのなりっぺはやさしい

おこられても
はずかしいからなかしとったんや

かげ

どい じゅんこ

かげは　しねへんな
にんげんはしぬのに　おかしい

かみさま

きよやま ゆみ

で

かみさまはどうしてみえないんですか
くものうえにいるからですか
もっとおくにいるからですか
そやのに
わたしがせんせいがすきなことが
どうしてわかるのですか

しあわせのくに

ながた　まさひと

「あおいとり」ゆうテレビでしている
しあわせのくにいうのがあって
あそんでいて　ほしいものもあるし

たべてすきなことばかりできるねん
おにいちゃんが「おかあさん　ほんとうに
しあわせのくにがあったらいいのにね
そしたらおかあさんも　おそくまでしごとを
しなくていいのにね」とゆうてん
そしたら「ほんとうにそうおもう
あそんでいてすきなことできるのが
しあわせだとおもうか
おかあさんはそうはおもわへんで
おかあさんはいましあわせやで
しごとをおそくまでしていても
とっちゃんもマーくんも
ゆうこときいてくれるいい子やから
しあわせゆうのは　みんながなかよくくらすことや

おかあさんはそうおもうけど
とっちゃんはどうおもう」とおかあさんがいった
おにいちゃんは　だまっておった
ぼくはしあわせのくにがあったほうが
いいとおもうけどな

2年生になったら

はやし みかこ

わたしは2年生になったら
やさしくてきれいなかおをした先生になってほしい
かしま先生とはこりごりや
べんきょうのとき　おこりながらするから

で

ほんとうにそうなったらいいのにな
そしたら　わたしはしあわせやな

もうすぐ二年生

たかせ けいこ

先生
二年生になったらおわかれでしょう
もうすぐおわかれですね
わたしが二年生になったら
いっしょにべんきょうができないね
もういっかい一年生にもどりたいなあ
先生といっしょにべんきょうしたいなあ

で

だってわたしは
おとうさんより先生のほうがすきだもの
けいこがそつぎようするまで
この学校にいてね

先生ありがとう

みきりさ

あのねちょうをかくのが
いやだったけど
きょうでおわりだとおもうと
さびしいです
一年生もおわりだし

せんせいのおにぎりおいしかった
オルガンもじょうず
せんせいはわらうとしわができるけど
かわいかった
おこるとこわいけど
しゃしんをとってくれてありがとう
せんせいだいすきです
一年間ありがとうございました
二年生になっても
せんせいのことはわすれません

おわかれ

こまだ ちえこ

で

もうすぐ先生とおわかれです
先生もかなしいですか
先生はにゅうがくしきのときは
あんまりしらががなかったけれど
いまは
もっとふえたようにおもいます
そしておじんにみえます
なんか先生がわたしらにおこると
しらががふえていくみたいです
わたしらが
しんぱいをかけるからですか
先生はわかい人がすきなのに
なんでふえるんやろ
しんぱいかけてごめんなさい

二〇ねんたったら

さとう てつや

せんせいがおじいさんになったら
てんごくから　かみさまがむかえにきます
ぼくのおかあさんは
もうてんごくへいってしまいました
ぼくもおおきくなって
せんせいのようなりっぱなおとこになります
せんせい
おかあさんにぼくのことをいってください
ぼくは
いっしようけんめいべんきょうしとったと
いってください

いのちって

ソマリアの子どもたち

終戦後、日本国中、食べ物が不足して、貧しい家の子どもたちは毎日、ひもじい思いで暮らしていました。小学生だった私は、ぬかでつくった団子やさつまいものつるを食べていました。

ある昼食時、私は学校から家に食べに帰りました。と言っても、家には食べるものがないことがわかっています。近くの民家で井戸の水をがぶ飲みして腹を満たし、再び、教室に帰ってきました。

教室では、お弁当組がお弁当を食べていました。

「早いなあ。もう食べてきたんか」

と金持ちの子どもが言いました。私が帰っていないことを知っているのに、わざと聞くのです。

「うん、食べてきた」

私も、なぜかうそをつくのです。

そのとき、つかつかと私のところにやってきた金持ちの子どもが、

「おい、これ、食うか」

といって、一切れの卵焼きを差し出したのです。

「これ、床に落ちたやつや。お前、食え！」

私は、卵焼きをみるや、あわてて手にして、口にほうばったのです。

――うーん。なんとおいしい卵焼きなんだろう――。

私は、一切れの卵焼きが胃袋のなかで大きく広がっていくように思いました。

「おーい。鹿島なあ、落ちた卵焼き食べよったぞー」

みんなは、私を指さして笑っていました。

そのときには、私は、嘲笑されても、惨めとか恥ずかしいとかいう思いは何も感じられず、ごまかし笑いを浮かべていました。

でも、いまそのことを思い出すと、涙がでてきてしかたがないのです。私は、現在の日本の平和と豊かさというものは、多くの人間の死と国土の破壊という犠牲の上に立ってつくり

あげられてきたものだから、この土地で生きさせてもらっている恩恵に対して感謝しなければならないと思っています。

だから、1年生の子どもたちにも、ときおり、物を大切にする心とか、戦争の悲劇、平和の心などをわかる範囲で話しているのです。

ソマリアの子ども

むらかみ えりな

ソマリアの子どもたちのビデオをみせてもらいました
はじめは　きもちわるかった
みているうちに　たべものや水を
たいせつにしなければとおもいました
きゅうしょくでみんながたべるおかずを

ソマリアの子どもたちに　あげられたらいいのに

私が世界の子どもたちのことをよく話しているものですから、私のクラスの子どもたちは、ソマリアの子どもたちに心を寄せてくれています。

あるとき、何人かの3年生が、私の教室に入ってきたのです。そして、後ろに貼ってあったソマリアの子どもたちの写真を目ざとく見つけたのです。飢えきって、死んでしまった子どもたちです。目だけが異様に大きく、あばら骨が浮かびあがった骸骨のような様子が写されていました。

「おい、これ見てみ。ミイラやミイラや」

「けったいな顔してんなあ」

「おもろいなあ」

3年生は、笑い転げながら口々にののしるのです。

どうして、骨と皮だけになった子どもを見て、笑えるのでしょう。

うちのクラスの1年生の子どもでも、不憫だとかかわいそうにとか、心を寄せた言葉を言ってくれるのですよ。

じつは、3年生なのに、どうしてこのような悲惨な状態になっているのか、その理由を知らないから笑ってしまうのです。

戦争の悲劇というものを、学校で教えてもらっていないからなのです。私は、この3年生の子どもを見ていて、世界の飢えている子どもの話をもっと教えていかなければならないと決意を新たにするのでした。

いのちってやわらかいんだね

にんげん

えぐさ たくや

せんせいにんげんは
なんのためにいきているんですか
ぼくはたっぷりあそんで
たのしむためだとおもいます
せんせいはどうおもいますか

こんな作品を1年生が書いてくるのです。

ところで、今年の子どもたちに異変が生じたのです。1年生たちが、毎日あのねちょうを書くのに悩んだり苦しんだりしているのを見ていて、弟や妹までもが、同じように書きたいと言ってきたのです。

私は、喜んで言ったのです。

「弟や妹のなかで、あのねちょうを書きたいと言う人がいたら、書いてもらってください。鹿島先生が読んであげるから、ノートをもってきてください」

すると、なんと、5人の弟や妹が書いてくれて、ノートが提出されるようになりました。

おやつ

すぎたに かおる（4歳）

あのね　三時のおやつをたべたら
からのなかでどうなるの
ほねのせんろ　おわたっていくの

それが面白いのです。1年生の子どもたちにない、表現と発想があるのです。表記が不十分ですが、稚拙な表現のなかに、幼児の心が感じられます。1年生よりも、弟や妹のノートが出されるのが待ちどおしい感じがするくらいです。

いのちってやわらかいんだね

みねまったけし（5歳）

むしにも　いのちがあるんでしょう
ともだちがふんだ
むしをふんだ
いのちがつぶれたひだ
いのちってやわらかいんだね

なんとすばらしい表現なのでしょう。「いのちってやわらかいんだね」だなんて、詩人でも書けない表現です。

私は、新しい仕事に胸が高なるのです。いままで知らなかった、幼児の表現する世界を見つめられるのではないか、と期待がもてるからです。
継続することによって、子どもの可能性を見つけてみたい。1年生に無い、4、5歳児の表現というものが、ただ、あのねちょうというノートだけを通して実現するものなのか、私にとっての挑戦でもあるからなのです。

おなかのなかにいたとき

すぎたにあらた

ママが
「ママのおなかのなかにいたときのことを
おぼえてる」って
ぼくとおとうとにきいたよ
ぼくは「六ねんまえか七ねんまえだから

おぼえていない」っていった
おとうとは「おさかなといっしょに
およいでいたの」といった

おさかな

やすだ あやか（4歳）

おさかながいぱいいいた
がらすにくついたら
ぶにうと　へんなかおおした
おなかかな　せなかかかな

ぼく

みねまつ たけし（5歳）

ぼくうまれなかったらよかった
だって　しぬのがいやだから

助詞の使い方や拗音、促音の書き方が不十分なので、読むのにひと苦労ですが、稚拙な表現のなかに幼児の心を感じます。

おとなはむかしこどもだったんでしょう

こども

いわはま えりこ

こどもはいつか
おとなになるでしょう
おとなはむかし
こどもだったんでしょう
みんな
そのときのきもちを　たいせつにしてもらいたいな

1年生の岩浜栄理子ちゃんから、こんなあのねちょうが出されたとき、私は次のような返事を書きました。

「ぐっと、つきささることばやなあ。みんなが、子どものようなきもちでくらしたら、へいわでゆたかなしゃかいになるのになあ」

それでは、子どものような気持ちとは、いったいどんな気持ちを言うのでしょう。いろいろあげられますが、栄理子ちゃんのような生き方をするのも、その1つだと考えられます。

じつは、栄里子ちゃんは「なんで？」「どうして？」という言葉をよく使う子どもだったのです。私は、こういうことが子どもらしい気持ちの表われだと思っています。

あるとき、栄理子ちゃんはお母さんにたずねました。

「お母さん、なんで、私が生まれてきたの？」

「それは、お母さんとお父さんが結婚したからよ」

「じゃあ、なんで、お父さんとお母さんは結婚したの？」

「お母さんとお父さんが、愛しあうようになったからよ」

「どうして、愛しあうようになったの？」

「お父さんがお母さんに優しかったからなの」

「ふーん、どんなに優しかったの？」

「いろいろなところへ連れて行ってくれたから。ある日、海へ行ったの。

そのときに、さくらがいを拾ってお母さんにくれたの。今でも大事にもっているよ」

「ふーん。じゃあ、どうして知りあったの？」

「それは、名古屋駅で新幹線に乗るときに話したことがきっかけなの」

「そのとき、お母さんはどんなふうに思ったの？」

「そうね。目の大きな人だなあって思ったの」

　こんな調子でだれにでもたずねる栄理子ちゃんは、質問のしたがりやさんだったのです。

私に対しても同じでした。

「先生は、どうして、白髪がいっぱいはえているの？」

「おじいさんだからだよ」

「じゃあ、どうして、おなかが大きいの？」

「それはね。赤ちゃんがはいっているからなんだよ」

「ふーん。先生は男なのに、どうして赤ちゃんを産めるの？」

「それは、神様がくださったからだよ」

「先生は、ダックスという犬なんでしょう。どうして、神様とお話ができるの？」

「それはね、男前だからだよ。みんな、男前のダックス先生と言うでしょう。だからなの」

「生まれたら、何を食べさせるの？」

「もちろん、ドッグフードなんだ」

「じゃあ、何匹産むの？」

「6匹かな」

「生まれたら、1匹くれる」

「もちろん。あげるとも」

てなことを話しこむのです。

では、なぜ栄理子ちゃんはこのような子どもに育ってきたのでしょう。

栄理子ちゃんは、もともと好奇心の旺盛な子どもだと言えるでしょうが、それよりも、栄理子ちゃんの興味をきちんと受け止める両親がそこにいたということが大きく影響しているようです。

おなら

いわはま えりこ

わたしは　おならをみたこともないし
さわったこともありません
おとうさんにいったら
「みしたげる」といいました
おとうさんは
いっぱいおならをしてくれました
わたしは　はなをおさえながら
しっかりみていました
でもくさいだけで
わたしの目には　なにもみえませんでした
わたしはパンツのなかで

シャボンダマみたいに
まあるくなっているのかなあとおもっていました
おふろでおならをしたら
シャボンダマみたいなあわが
でてくるでしょう
おとうさんは
おしりがかぜをひくといいました

この作品にも感じられるように、お父さんが、栄理子ちゃんの素朴な疑問に、一生懸命に答えようとしている姿がみられます。

子どもというのは、大人が考えるとじつにくだらないようなことでも、何回も質問したがるものです。

「赤ちゃんは、どこから生まれてくるの？」

「人間は、どうして男と女がいるの？」

「サンタさんは、どこからやってくるの？」

そんなとき、まわりの大人たちがどう対応するかによって、探求者としての人間に育っていくかいかないかの違いが出てくるように思います。

栄理子ちゃんのお父さんとお母さんは、栄理子ちゃんの質問に対して、いつも誠意をもって答えてやるようにしていました。栄理子ちゃんは、安心して質問することができたので、いつしか科学する心や観察する態度が、自然に培われてきたように思うのです。

ときどき、まわりの大人が忙しいとか、わずらわしいといった理由で、「あほなことばっかり言わんと」とか、「しょうむないことばっかり聞きな」と言って、簡単に子どもの興味を遮断してしまうことがあります。そんな大人に育てられている子どもは、いつしか興味や意欲をなくしていくのです。

子どもを育てるということは、このような疑問や興味を通して体験的に学ぼうとする子どもの気持ちを大事にすることなのです。そこから科学する心とか、探求心が培われてくるのです。

だから、栄理子ちゃんの両親は、探求者としての子どもを育てていると言えるでしょう。

みんなの心に生き続ける、
かしま先生

むかいさとこ

劇団文学座で修行中、フジテレビ系列アナウンサーとして就職。最優秀新人賞など6つの賞を受賞。『めざましテレビ』などで活躍し、退社後は映画番組はじめ『純と愛』などNHK朝ドラ4作品に出演の他、ドキュメンタリーや養老孟司著『まる ありがとう』のナレーションを担当。内閣府国際交流事業日本代表や、文化庁コミュニケーション能力向上事業、MCやCM出演の他、緊張を伝える力に変える話し方教室を小高大学校、企業などで展開。海外ではSato Sugarの名称でナレーターとして活動し、2023年世界各国からプロが集結するSOVAS Voice Arts Awards2023にノミネート。2024年には海外出版FAADA「Voice Over Secrets-Japan」に参画。

2013年、鹿島和夫先生と「あのね文庫 詩コンクール」を立ち上げ、2023年鹿島和夫先生没後も「せんせいあのね」の志を引き継ぎ活動中。

良いことと、ほんまのこと

せんせい、あのね、わたしは、せんせいと会ったことはありません。だけど、せんせいの書いた本をたくさん読んで、大切なことをいっぱい学びました。だからせんせいの教え子です。家にお金がなくて、つらい経験を何度もして「貧乏な家の人の気持ちが分かる先生になっておくれ」とお母さんに頼まれたそうですね。

先生あのねの生みの親、鹿島和夫先生が亡くなった2日後の記事はこう続く。

せんせいが、1年生との交換日記をまとめた本『一年一組 せんせいあのね』は、日本中の教室でお手本になりました。複雑な家庭の子、障害のある子、話すのが苦手な子。どんな子にも伝えたい思いがあります。それを名人芸のように引き出しました。毎朝、「あのねちょう」を受け取ると下校時には赤ペンで感想を書いて返します。ノートを開

く時、子どもの心はどんなにときめいたでしょう。（神戸新聞記事 正平調２０２３・２・25）

「子どもの心はどんなにときめいたでしょう」

この一文が目に入った瞬間、

「はい、ときめきます。大人でも」

と思わず返事をしてしまった。このときめきは一生モノなのだ。

かしま先生の元教え子、はやしみかこちゃん、

「うちさぁ、こう見えて超人見知りで、めっちゃくちゃ大人しい子やっててん。かしま先生にも、『おるかおらんか分からん子や』ってよく言われててん。でも先生が『みかちゃん、あのねちょうにやったら自分の気持ち書けるんちゃうか？』って言うてくれて、うち、どんどん変わっていったんよ。今は信じられへんかもしれんけどな」

私が話すのを遮る勢い。でも優しさ溢れる弾んだ口調で、ぐいぐい話してくれる。

そんな彼女にとってあのねちょうは、どんな存在なのか聞いてみた。

「あのねちょうは毎日のこと。そやから、子どもなりに〝面白いこと探し〟やし〝感動探し〟や。

花まるもらったら、そりゃテストで100点とるより飛び上がって嬉しかった。母親にも、テストより『よう頑張った』って、むちゃくちゃ褒められとった。だから、何かオモロいことはないか、エエことはないか、みんなに言うとかなあかんことはないか、って日々アンテナはってた」

「うちのあのねちょぅは最初の頃、ほんまに普っ通ぅの真面目な真面目な日記みたいなもんやってん。今思えば笑けるけど、『私は、今日は公園で遊んで帰ったら、5時すぎてて、お母さんに怒られたから、明日からは気をつけようと思います』みたいなことを書いててんなぁ。でも、かしま先生が〝イヒヒ〟って感じで笑いながら読んで、うちのこと見て『みかちゃん、これほんまか?』って聞くねん。『……』うち何にも言われへんかった。

それ見て先生は『怒られてどうやったんやろ?』って聞くねん。

その時の気持ちなんか正直、よぅ考えんとすぐには分からんから、ぎゅうって昨日の自分の気持ちに戻って思い出してみる。だいぶん長いこと考えてる間も、先生は待っとってくれた。

ほんで言うた『遊ぶんに必死になってたから、ほんまは何が悪いんか、わからん』って。

ほな、先生が『そうやろ？ わはは』って止まらんくらいにゲラゲラ笑ってなぁ。

　思い出しただけでも、もう40年以上も経《た》っとうのに笑けてくるわ。何より、うちが先生を笑かしたっていうのも嬉しかったなぁ。そのあと、先生がゆっくりと『みかちゃん、時間は守らないとあかんけど、みかちゃんが思ったことを文にするのんが、あのねちょうやで』って言うてくれてん。『いいことばっかり書かなくてもいいねんで、ほんまに思ったこと書いてきてほしいんやで』」

　って。

「みかちゃんが思うことを書いてくれたらええ。それが嬉しいんや」

　と聞くだけで、なぜか胸がときめいてしまう。

「『みかちゃんはオモロいなぁ』ってコメントしてくれた時が一番嬉しくて、めっちゃ覚えてる。忘れられへん。それでな。うち、どんどん思ったことを書くようになって知らんうちに、ようしゃべるようになった」

　かしま先生は、あのねちょうを通じて子どもたちに上手な文章の書き方だけを練習させたのではない。心から溢れ出る気持ちを自分の言葉で表現することができた時、頗《すこぶ》る褒める。

「先生、こんなん好きや」

子どもたちは、あのねちょうを書くことに楽しみを見出し、ほんまの気持ちや、人との関わり方、自分とは何者かと考える時間を味わい、それを言葉にする。ちょうめんに書く。書き続ける。その繰り返しが、心の鎧《よろい》をぬがせ、本当に感じていることを言葉にできるまで、かしま先生は導いてくれていたのだ。その軌跡があのねちょうから滲み出ている。

まさかの同郷

私も、かしま先生から大切なことを学んだ。それは、小学生の時ではなく、大人、しかも母になってから。『一年一組 せんせいあのね―詩とカメラの学級ドキュメント』『続 一年一組 せんせいあのね』（理論社）など、かしま先生の著書を読んだ時に感じた感覚が、まるで心に花が咲くような感覚だったからだ。これは、テレビ局でアナウンサーとして働いていた

２０００年から今も続く小学校回りのお話会の活動で子どもたちと接する中で感じたそれと似ていた。

「この先生と、子どもたちのための活動をしたい」

こんな気持ちが溢れ出てきた。

かしま先生と出逢う約10年前、ミレニアム前後（懐かしい響き）、私は子どもたちの自己表現のお手伝いができないかと、小学校の授業の１コマにお邪魔して行う、アナウンサーによるお話会をテレビ局の先輩と始めた。

表題は「緊張を伝える力に変える話し方教室」

学生と二足の草鞋で通っていた文学座研究生時代。師匠の故 戌井《いぬい》一郎《いちろう》氏からいただき、今もずっと胸に抱いて、お守りにしている言葉がある。

「緊張は悪いものではないんだよ。むしろ緊張していないということは、お客様に対して失礼なことだね。杉村春子《すぎむらはるこ》さんは亡くなる寸前まで舞台の上では緊張していました。ただし、プロとして緊張はお客様に見せるものではない。緊張を伝える力に変える技術を身につけなさい。稽古を欠かさずしなさい」

すぐ緊張してしまう私にとって、どんなにか不安を吹き飛ばしてくれるものだっただろう。これを軸にアナウンス技術も加えて創ったオリジナルのメソードで子どもたちに授業をした。

緊張する子どもたちの体の、どの部分をどう変化させれば声が変わり緊張していないように聞こえるか、食べ物や動物の動きに例えて伝えた。

子どもたちがその動きを素直に楽しく実行するだけで、声も表情も1時間以内に変わる。本人も自分の変化にびっくり。初めは名前を言うだけでも緊張して声が上擦《うわず》っていたのに、授業が終わる頃には堂々と友達の目を見て話す子どもたちの姿。その姿を見ると胸が高鳴り、じんわりとした温もりを感じる。これと似た温もりを私は、あのねちょうから感じたのだ。

「緊張を伝える力に変える話し方教室」はテレビ局退社後も続け、のべ6000人の子どもたちの変容を肌で感じた。

偶然が重なり、担当していた番組『めざましテレビ』のご縁で、このメソードが横浜市の研究授業になり、教科書メーカー光村図書の「ふしぎのたね」というコラムに取り上げられた。

福島県内の児童養護施設で、このメソードを行ったときのことが強く心に残っている。朗読していた物語がクライマックスに差し掛かった時、教室後ろの倉庫のようなところから、1人また1人と子どもが出てきた。

今度は私の左背後から、しくしくと大人の泣き声が聞こえてくる。頭の中は？マークでいっぱい。

物語が終わったら、目の前の子どもたちの人数が1.5倍ほどに増えている。そして何故か先生は泣いている。私は思わず、

「私の朗読そんなによかったですか（笑）」

と嬉しくなった。

しかし、理由を聞いてみると違った。普段、外部の人が来ると子どもたちの何人かは倉庫に隠れてしまい、隙間から話を聞いているそうだ。

「今日は出てきて驚いた、しかも初めて笑顔まで見せてくれた」

話を聞き終わる頃には、私も号泣。かしま先生の本を読んだ時、この経験が、一気に吹き

出すように蘇ってきた。次の瞬間、

「かしま先生から直接学び、先生と活動がしたい」

そう強く思った。

かしま先生のご自宅に伺って、

「まぁ上がってちょうだい」

と言われ、10分も会話しないうちに、お互いの生まれ育った家が30歩ほどしか離れていないことがわかる。

ダンボールを次々に開けて、あのねちょうに目を通し、感激で涙を流す私に、

「これ欲しかったら全部、あんたにあげるわ。よかったら持って帰ってちょうだい」

にっこりと仰る。私は決意した。

「先生がお元気なうちに、先生の思いや活動を隅から隅まで学び、無限大の子どもの表現力を育む活動を命ある限り続けていく」

心の中には2人の故郷、大阪南部の子どもたちが、相当個性的な方言で素直な思いを書き、「緊張を伝える力に変えるスキル」を身につけ、ステージに立って、大勢の前で発表し

ている姿がはっきりと映像になっていた。

目頭が熱くなった。

その日のうちに、先生の提案で「あのね文庫 詩のコンクール」を始めることが決まった。

翌日から、どのように進めていくか、審査員はどうするか、段ボール箱に何箱もあるあのねちょうをどこに飾るかなど、2人で話していると、協力者なしには進まないことに気がついた。

身近な人に話すと、

「自分もこういう活動がしたかったんだ」

「ぜひ協力したい」

と元教員や大学教授、企業、団体が集まり、あのね事務局が発足した。私は番組やイベント制作が専門分野なので、集まってくれた人たちの知恵を具体的に実行していく役割を担う。

まず企画書をつくった。次に、かしま先生と私の地元、泉佐野とその近隣の教育委員会や校園長会で話し、泉佐野市長にも思いを伝えた。泉佐野市と各教育委員会（岸和田、貝塚、泉佐野、泉南、阪南の各市と、熊取、田尻、岬の各町）から後援をいただいて10年以上お世話になっている。

初代審査委員長は、もちろん鹿島和夫先生。２０１２年より、神戸のご自宅から南大阪へ往復４時間ほどかけて通ってくださった。数年前に体を壊されてから亡くなるまでは病床でも作品を読み、ご自身が難しい場合ご家族を通して意見を伝えてくださった。現在の審査員は10人弱。その中には、かしま先生の元教え子、先生の考えに共感した教育関係者、長年子どもの詩を広く研究し海外での教育経験も豊富な大学教授、絵本作家や放送作家もいる。このコンクールは、受賞者とその家族が優先ではあるけれど、会場が満席になるまで誰でも入場できる。

その名も「あのねフェスティバル」。

幕開きには地元合唱団の歌声が響く。そのあとゲストのコンサートやパフォーマンスが続いて、第二部の表彰式。

２０２４年２月で12回を迎える、あのね文庫 詩コンクールの参加者は累計のべ４万人を超える。審査基準は明確で、かしま教室の花まるの基準に準じて、

「子どもたちの心から溢れ出る言葉」

に注目して加点。

国語的な漢字の間違いや文法では減点しないのが大きな特徴だ。ただ点数をつけるのではない。

年明けの忙しい時期、審査室に、さまざまな職業の言葉の専門家たちが、手がプルプル震えるほど重たい作品の束を抱え、にこやかに集う。私は年明けの、このひとときが大好きだ。

審査員達が持ち寄る作品の束には、何度も読み込んでめくった手垢がついていて、付箋が貼ってあったり、カラフルに色付けされていたりする。

審査が始まると、

「子どもの心から溢れ出る言葉を感じた」ポイントをそれぞれの言葉で発表する。

小学1年生から6年生までの作品を何度も見直すので、長い長い時間が掛かる審査だ。

かしま先生と審査していた頃は全ての作品を音読していた。

今も、

「声を出して読んでみましょう」

と、大声で朗読し、大笑いしたりすることもある。氏名や学校名は分からぬよう塗りつぶされているので、児童の顔はもちろん、性別すらわからない。

先生が亡くなった昨年からは審査委員長は敢えて設けず、最後の最後に迷ったときには、みんなで、

「かしま先生だったらなんとおっしゃるかな」

と考え、それを言葉にし合って決めることにしている。

初めは1社だった協力企業も、関係者の話を聞いたり、ポスターを見たりして賛同し、2024年現在3社1団体が協賛（うち1団体は匿名で協力したいと社内の有志がプライベート時間を返上して会場整理を毎年担当）

「自分も感動をもらえるから、来てるんです」

と言ってくれる人もいる。

2023年2月に天に召された、かしま先生の
「うれしいねぇ、ありがとう、ありがとう」

という言葉が耳元で木霊《こだま》する。

馬場幸男くん――かしま先生がおらんかったら――

かしま先生の口癖は、

「うれしいねぇ、ありがとう、ありがとう」

九州の小学校教員、匂坂裕一郎《さぎさかゆういちろう》さんは、かしま先生の活動に魅せられた一人だ。生前、手紙のやり取りをしていたそうで、それを胸に仕事に励んでいる。その手紙には、

「先生自身が笑顔で楽しんでいると、子どもたちも安心して楽しめる」

の言葉。かしま先生は言葉で指示や注意はせず、自らの喜びや感動を全身でデモンストレーションする。ただそれだけで、子どもに限らず周りの人が温かな気持ちになるのだ。

40年あまり前、知的障害で仲良しクラスの一員だった馬場幸男くん。その母・陵子さん（79歳）は、まさにその証明者。

言葉がうまく話せない馬場くん。お母様は当時、深く悩んでいたそうだ。すると受け持ち児童でない馬場くんの目を見て、かしま先生は優しく、

「おいで馬場くん。こっち入りぃ。入っといでぇ」

とクラスの中に入れてくれた。言葉が上手く話せず乱暴だった馬場くんに、根気強く言葉を教えてくれ、クラスのみんなに、

「馬場くんがどうすれば乱暴せず、自分の気持ちが言えるようになって、みんなも楽しく勉強ができるか」

を折にふれて相談し話し合った。母・陵子さんはさらに続ける。

「ゆきちゃん（馬場幸男くん）は、言葉が上手に喋られへんかったんやけど、かしま先生のおかげで、ほんまの心のこもった『いただきます』が言えるようになったんです。これは財産なんです。かしま先生に会わしてもらえへんかったら、今頃、私ら居るかも分かりません。大人になっても、ゆきちゃんは行動派の暴れん坊やったと思います。今も、ここで静かにしとうし、一人で風呂に入れる。朝は自分で起きて、ごはんを食べて仕事に行っています。有り得へんことです」

陵子さんの言葉は80歳が間近だとは思えないほど力強い。

53歳になった馬場くんは、30年以上作業所で実直に修行を積み、度重なるいじめにも立ち

向かって数年前に就職が決まった。今では月に8万5千円以上を自分の力だけで稼いでいる。

あのねの心が複利で増えると

寿命が延びて、人生100年時代と言われるようになってきた。

当初は老後の準備に必要なのは投資や貯金だと言われていたが、今ではそれに加えて無形資産が必要となると唱える人が増えてきている。

無形の資産とはつまり人、歳をとってから購入することができない友人のこと。

「自分が一文なしになった時に、金銭的投資ゼロで何ができるかのアイディアをリストアップしておくこと。さらに、すぐ宿泊させてくれる友人を50人以上持っておくこと。そして自分も、人に親切にするような人間になること」

と言う人もいる。

かしま教室のあのねちょうは一年生の言葉を集めているが、読んでいて年齢の壁を感じない。それは、あのねちょうが、いつの時代も変わらず「生きていくのに必要な人間の心」を育んでくれるからだ。

そこには生きていく中での間違いや、人を困らせたこと、人から言われた嫌な言葉や嬉しかった言葉、物事を見つめる新しい目線が記録してある。

あのねちょうを辿り見つめ直すことは温故知新。面白い時間だ。何故だか共感したり納得したり、子どもに大人の事情を指摘され襟を正すような場面もある。

あのねちょうから楽しく生きるヒントを見つけ、毎日を違う目線で見つめてみる。それを実行してみることで今まで何とも思っていなかった日常に、喜びや感謝を発見できたら、みかちゃんや馬場くんのように、毎日が変わり、人生が変わるかもしれない。今日1％、明日もさらにその1％と続ければ複利の力で知らないうちに大きな変容を遂げることになる。馬場幸男くんとお母さんが半世紀近く諦めず、かしま先生の言葉を胸に頑張り続け、50歳を超えて就職を勝ち取ったことがその証だ。

10年を超えるあのね事務局のスタッフも、密かに、かしま教室で学んでいたようだ。彼が職場の社報に書いた作品。

言霊

山内庸（仮名）

40を過ぎると　代謝が追い付かず腹周りが大きくなってくる
年頃の子どもが
「デブ内やな　デブうっちゃん」
と罵《ののし》ってくるので
「何言うてんな　ここには夢と希望が詰まってんやぞ」
と返して笑ってくれたのに
2回目
「は？」

3回目
「もうええて」
面白い返しを期待しているのか単に罵っているのか　最近は
「デブちゃうから　何言われても何も思えへん」
と言いながら、休みの日にこっそりランニングをしています

言葉は本当に　発する人　受け取る人の両方に影響し
悪い言葉をよく使うと
自分にも何かしら返ってくると信じています
「学校でデブとか人に言うなよ
健康体型・幸せ体型とかやで
良い言葉を選ばんと
言霊といってすごいパワーあるから気をつけな」

「自分が言われて嫌な気持ちになることは言いなよ」
「人に指差して酷い事言ったら　その手見てみ～
自分の方に何本向いてる？
言った以上に返ってくるで」
と反抗期の子どもに言い聞かせています
せっかくこの世に生まれて一度きりの人生を
自分から悪くする必要はない
なるべく良い言葉を選んでいけたらなと思いますが
たまには毒を吐くのも気持ちが良いので
神様　仏様　皆様お許しください

実は、あのね事務局スタッフが社報にこの文章を書く約2年前、こんな作品が入賞していた。

第9回あのね文庫 詩コンクール最優秀受賞作品（2022）

昔のパパと今のパパ

森口 ゆの

先生あのね　わたしのパパは
むかしはほそかったらしいけど　今は　太い
ほそいパパを見てみたい
パパは　いつもやせるために走ってるけど
けっきょくは　やせる事もあるがまた太る
さいきんパパは　走っていない
だからやせないんだ
とわたしは　そう思っている
わたしは　なんでパパが太るかわかる

その理由は　2つある
1つはお菓子をよく食べるから
もう1つは　よくウイスキーを飲んでいるからだと思う
どっちもやめてほしい
パパは
よくおなかの中に　夢と希望がつまっているといっている
さいきん愛がふえました
太っててもいいからながいきしてね！

同じ父親でもあるあのねスタッフは、この詩を読んで感じるところがあったのだろう。私も彼に影響され、1日をあのね目線で過ごし、早速手帳の端っこに書いてみた。

こんないたずら大歓迎

むかい さとこ

急に冬空
震えながら肩に力を入れて仕事に向かう
車に乗り込もうとしたら
窓ガラスに霜が降りている
よく見たら運転席の窓に王冠を被ったニコちゃんマーク
助手席の窓には
ふくよかなハートが5つ　踊るように描いてある
「どこの子どもかな　悴《かじか》む指で描いてくれたんだな」
ふと駐車場の張り紙を見ると
「落書きは犯罪です」
こんな愛のある落書きなら　またお願いしたいな

思わず写真を撮った

帰宅して写真を見せながら　息子に話したら
「これ　ホノカとルナやで」
どうやら　姪っ子たちが描いたらしい
思わず走っていって二人にハグをした
次の日はサービスサイズのニコちゃんマークと
昨日より嵩増《かさま》しでハートが描いてあった

このことをみかちゃんに話した。すると、

「むっちゃいいやん！ さとちゃん、あのねちょう書いてるん？ それ、むっちゃいい！ みかも書いてみる！ また新しい発見ありそうや」

という言葉が返ってきた。

あのねちょうが心の健康にどんな影響を与えてくれるかを実感しているみかちゃんだからこその言葉だ。

私のあのねちょうは、まだ始めたばかり。毎日続いているわけでもないけど確かに気分が変わってきた。皆さんも、手元にある手帳やスマホにひとこと書いてみませんか。行動すれば何かが起こる。そう感じます。

はやしみかこちゃんの詩

ひまわりのはっぱに　ありがおりました
ありがはっぱのうえを　さんぽしていました
にんげんは　えれべえたあにのって
うえにあがったりするのに
ありは　へいきでうえへいったり
したいったりしていたよ

ばんのおかず　やさいだったから
わたしはいややったです
でも　おかあさんは

やさいをたべたら
ながくいきるっていったから
わたしはむししして
みんなたべました
おじいさんとおばあさんたちは
みんなやさいをたべてるんかな
わたしはあめふりがきらいです
おとうさんは　がすこうじのかいしゃやから
あめふりはしごとがでけへん
そやからおかねもちになられへん
おかあさんはおかねがすき
わたしもすき
きらいなひとはおらへんとおもう
だからあめはだいきらい

おかあさんに
「せんせいが　ええことなんか　かかんでもええ
いうた」というたら
おかあさんは
「かしませんせいは、かおもおもしろいけど
ゆうこともおもしろいな」とゆうた
おもしろいかおのおかあさんにゆわれたら
せんせいもかわいそうやな

よる　じかんわりをしらべるとき
にかいにあがるのがこわい
なんでかいうと　にかいはくらい

もし　ゆうれいがでたらあかんから
おかあさんは
ゆうれいがわたしをみたら
こわがってにげるとゆうた
ゆうれいはこわがれへんで
なんでかとゆうと
ゆうれいは　しんどうからこわがれへん

いもうとがおかあさんに
おっぱい小さいのに
ぶらじゃなんかせんでもいいやんか
といいました
わたしもそうおもう

そやけど　そんなことようゆわん

おばあちゃんのおかず

いま　わたしのうちに
おばあちゃんがふたりおるから
ときどき　だいこんのおかずのほうがおおい
おかあさんが
「だいこんをたべたら　ながいきするで」
とゆうとった
しまからきたおばあちゃんは
いっこも　にくなんかたべんと
だいこんばっかりたべてんで

のせからきてるおばあさんは
にくとだいこんをたべる
わたしは　にくのほうがたべたい
おかあさんは
「にくたべんと　だいこんたべたほうがいいて」
ゆうた
わたしははじめ
おばあさんおったらいいてゆうかんじやったけど
いまは　おばあちゃんかえってほしいというかんじ

おばあさんはてんさい

わたしたちは　目を大きくしてみるのに

おばあさんは
本とはなして　目をちいさくしてみる
わたしは　小さくしたらみえないのに
おばあさんは小さくしてもみえるから
おばあさんのほうがてんさい

きたないかおの男

わたしがあのねちょうに　せんせいのかおは
きたないってばっかり
かいているから
おかあさんが
「せん生のかおがきちゃない　ばっかりゆうたらあかん

かおのきちゃない人のほうがやさしいねんで
だから　あんたも大きくなったら
きたないかおの男の人をえらびよ」とゆうた
わたしは男でかおのええ人のほうがいい
もしわたしがきちゃないかおになったら
ぜんぜん　にあわへん

おばあさんの「は」

おばあさんの「は」はとれるからべんり
かんたんにうえの「は」をとってあらえる
だから　おかあさんが
「おねえちゃんも　うえの「は」をとったら

おかあさんが「はをきれいにあらたげるのに」
とゆうた
わたしがねむたいときや
べんきょうでいそがしいときに
「は」をあらって　もらえるのに

ちんちん

ねこのミーはちんちんをきってんで
なんできったんやろ
わたしはあばれたりせんようにおもう
おとうさんがあばれたら
ちんちんきってあばれんようにしたらええ

おかあさんが「わるいことしたらちんちんきるで」
というた
おとうさんわろとった

ばばくんへの詩

よしむら せいてつ

きょう
きゅうしょくたべるとき
ばばくんがぼくのかおをみたから
ぼくはばばくんがかむかとおもって

しんぞうがどきどきした

むかえ たつのり

ぼくもみんなも
ババくんのともだち
ババくんは　せんせいのむすこやと
せんせいがいうた
ぼくも　せんせいのむすこ

ふじた きょうじ

きょうばばくんがきたやろ
そやけどあそぶのは
きゅうしょくのとき
ばばくんがあそんでとゆうたから
ぼくたちはあそんだったやろ
そのとき　きゅうしょくがきたら
あそばれへんかったやろ
あした　あそべるからいいもんな
あさってもあそばれるもんな
そやしずっとくるからいいもんな

みぞがみ さえこ

ばばくんは　はじめてさえこをよんでくれた
せんせいをよんできてとゆうた
ばばくんは　おとなしくすわっていたよ
ばばくん　はしったらあかんゆうたら
すぐわかるんだね
おともだちになろうね

こうき あけみ

まえは　ばばくんがこわかったけど
きょうからこわくなくなった

ばばくんのびょうきは
はんぶんだけなおったんとちがうかな
わりとしゃべっとってんで
それから　ようあそんどったし
よう　うごいとったで
ばばくん　けいさんできひんので
できひんかったら　おしえてあげるね

はやし　みかこ

きょう　おかあさん
せんせいにあえるから
ええかっこしてたやろ

いつもあんないないねんで
このまえやくそくしてくれてありがとう
わたしのわるぐちゆわんかったから
おかあさんもんくゆわれへんかった
せんせいが
わたしのええことばっかりゆうたから
おかあさんがうれしかってんて
わたしが　ばばくんのめんどうみてるゆうたやろ
おかあさんに
えらいなあゆうてほめられた
そやから　わたしはうれしかった

はやし　みかこ

わたしと　いもうと　ばばくんと
こうえんで　なかよくあそんでいるのに
みんながばばくんのことゆうて
つばをかけるんよ
おかあさんと　わたしと　こうえんのはなに
みずをやってるいるとき
ばばくんもおてつだいできたで
こうえんでおかあさんも
いっしょにあそんでいるとき
おかあさんにすなかけて
ばばくんがおかあさんにおこられて
ばばくんがごめんなさいとゆうたで

そやのに
みんなばばくんとあそんだれへん

はやし みかこ

ばばくんと　ばばくんのおにいちゃんと
わたしと　わたしのいもうとと
かいがらで　おにごっこをして
ばばくんが　おにになったら
ぜんぜん　わたしたちがつかまらないからおこった
わたしのいもうとのえりちゃんが
かみのけをひっぱってなかしました
ばばくんも　わるいとこもあるねんで

はやし みかこ

ばばくんは　まだびょうきだから
わたしは　ばばくんがかわいそう
じもかけないから　かわいそう
だけど
わたしは　ばばくんをなおしてあげた
なおしてあげたら
みんなとなかよくあそべるのにな

あのねちょうから毎年2000の詩を選んでつくった「たまてばこ」をプリントし鹿島先生は、こどもたちに配ります。

詩は、『たまてばこ』と『せんせいひみつやで』『しあわせのおなら』(ともに法蔵館刊)から選びました。

鹿島先生の言葉は、『しあわせのおなら』(法蔵館刊)と『たまてばこ』から再構成しました。

本書完成にあたり影響を与えて下さった皆様

本書完成までご尽力くださった皆様。理論社の皆様、法蔵館戸城美千代さん、甲南大学の松浦りつ子先生、光村図書の皆様。放送作家の故 西澤實先生、斉藤由織さんはじめ弟子の皆様やご家族。文学座の皆様、福島テレビの先輩方はじめ、フジテレビ系列の皆様、めざましテレビチーム。横浜市教育委員会や小学校関係各位。大森青児監督はじめ、NHK朝ドラチーム。叶雄大さん、人形劇団クラルテはじめコミュニケーション能力向上事業講師チーム。飯田史彦先生。和歌山大学図書館の皆様。ひとりさんチーム、VOJ、内閣府世界青年の船、Money&Youチーム。日本大学芸術学部放送学科、演劇学科の皆様、津田塾大学日本語教員養成課程の皆様。あのね事務局スタッフ。佐々木豊先生、岩城敏之さん、勝村謙司先生、岡部義孝先生、田畑富久子さんはじめ、地元小学校の先生方やご協力企業。泉佐野、岸和田、貝塚、泉南、阪南の各市と熊取、田尻、岬の各町の教育委員会の皆様、審査員や、子供の詩 有本芳水賞関係各位。これまでに、あのねフェスティバルにご参加、ご協力いただいた企業の皆様。ご応募くださった4万人を超える児童の皆さんやご出演いただいた鹿島先生の教え子の皆様、晴雅彦さん、武鹿悦子さん、長谷川義史さん、神谷徹さん、スマホ・ネット安全教室チーム、まるたせんせはじめ、全ての皆様。そして執筆に集中する私を温かく見守ってくれ、協力してくれた家族と友人たち。そして何より天国の故鹿島和夫先生、そのご家族、教え子の皆様。

鹿島和夫

1935年生まれ。泉佐野市立第二小学校、和泉高校から神戸大学教育学部を卒業。約40年神戸市で小学校教諭を勤め上げた。

子どもの素直な視点を表現できる教育を独自で模索。現在も小学校などで取り上げられることが多い「あのね教育」の創始者。その独特の教育がマスコミにも取り上げられ、ドキュメンタリー「一年一組」は文化庁芸術作品賞優秀賞受賞。

著書は『一年一組 せんせいあのね』(理論社) など多数。北原白秋賞や読売教育最優秀賞も受賞している。

せんせいあのね
1年1組かしま教室①
ひみつやで

2024年3月15日　初版第一刷発行
2024年4月 6日　初版第二刷発行

著　　者　鹿島和夫
監　　修　むかいさとこ
発 行 者　内山正之
発 行 所　株式会社西日本出版社
〒564-0044 大阪府吹田市南金田1-8-25-402
[営業·受注センター]
〒564-0044 大阪府吹田市南金田1-11-11-202
TEL:06-6338-3078
FAX:06-6310-7057
郵便振替口座番号　00980-4-181121
http://www.jimotonohon.com/

編　　集　竹田亮子
装　　丁　LAST DESIGN
印刷·製本　株式会社光邦

ISBN978−4−908443−87−9